保育士
一問一答
問題集

'25年版

成美堂出版

本書の使い方

○×問題

一問一答形式の問題です。記述の内容が正しいか誤っているかを考えましょう。

得　点

２回分の得点を書き込めます。

Lesson 1 保育と心理学（1）

問1 ある対象を評価するときに、目立ちやすい特徴に引きずられて他の特徴についての評価が歪められる現象をハロー効果という。

問2 人生の出来事や移動などによって環境が変わることを、環境移行という。

問3 人の生涯発達とは、上昇的変化の過程を意味する。

でる 問4 環境や価値の意味は、人間の心の働きによって生まれるものではなく、環境自体が持っているものだという理論をレジリエンスという。

チェック欄

正解した問題は□に印を付けるなどして活用してください。

でる

このマークの付いた問題は本試験でよく出題されます。

穴埋め問題

保育所保育指針や法律は穴埋めで出題されることが多いため、赤シートで隠して覚えましょう。

Lesson 16 関係法令等

穴埋め問題

問1 児童の親権を行う者は、児童のしつけに際して、児童の人格を尊重するとともに、その年齢及び発達の程度に配慮しなければならず、かつ、体罰その他の児童の心身の健全な発達に有害な影響を及ぼす言動をしてはならない。

法律 児童虐待の防止等に関する法律　14条1項

問2 放課後児童健全育成事業とは、小学校に就学している児童であつて、その保護者が労働等により昼間家庭にいないものに、授業の終了後に児童厚生施設等の施設を利用して適切な遊び及び生活の場を与えて、その健全な育成を図る事業をいう。

法律 児童福祉法　6条の3 2項

でる 問3 地域子育て支援拠点事業とは、内閣府令で定めるところにより、乳児又は幼児及びその保護者が相互の交流を行う場所を開設し、子育て……の提供、助言その……

指針　基準　法律　条約
憲章　幼稚園教育要領

根拠となる法律等についてマークを付けて示しています。

本書は、保育士試験によく出る内容を、一問一答形式にまとめた問題集です。答えやポイントを隠せる赤シート付きなので、学習効率もアップします。

※ここに掲載しているページは見本で、本文とは一致しません。

各科目のポイントを整理！

特に覚えておきたい重要な項目をまとめています。科目をまたいで出題されることも多いので全科目のポイントの内容を確認しておきましょう。

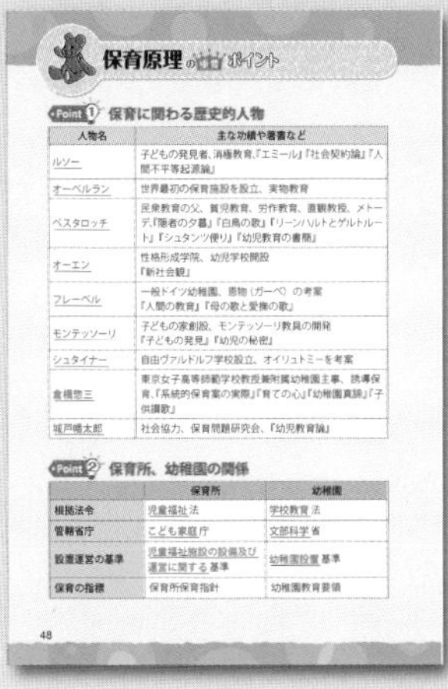
保育原理のポイント

Point 1 保育に関わる歴史的人物

人物名	主な功績や著書など
ルソー	子どもの発見者、消極教育、『エミール』『社会契約論』『人間不平等起源論』
オーベルラン	世界最初の保育施設を設立、実物教育
ペスタロッチ	民衆教育の父、貧児教育、労作教育、直観教授、メトーデ、『隠者の夕暮』『白鳥の歌』『リーンハルトとゲルトルート』『シュタンツ便り』『幼児教育の書簡』
オーエン	性格形成学院、幼児学校開設『新社会観』
フレーベル	一般ドイツ幼稚園、恩物（ガーベ）の考案『人間の教育』『母の歌と愛撫の歌』
モンテッソーリ	子どもの家創設、モンテッソーリ教具の開発『子どもの発見』『幼児の秘密』
シュタイナー	自由ヴァルドルフ学校設立、オイリュトミーを考案
倉橋惣三	東京女子高等師範学校教授兼附属幼稚園主事、誘導保育、『系統的保育案の実際』『育ての心』『幼稚園真諦』『子供讃歌』
城戸幡太郎	社会協力、保育問題研究会、『幼児教育論』

Point 2 保育所、幼稚園の関係

	保育所	幼稚園
根拠法令	児童福祉法	学校教育法
管轄省庁	こども家庭庁	文部科学省
設置運営の基準	児童福祉施設の設備及び運営に関する基準	幼稚園設置基準
保育の指標	保育所保育指針	幼稚園教育要領

48

1回目 /7点　2回目 /7点

1章 保育の心理学

答1 ○ ハローは、後光という意味である。清潔感のある実習生のほうがよい印象を持たれたり、字が整っていない実習日誌の評価が悪くなったりということがある。

答2 ○ 人生の出来事や移動などによって環境が変わることを、環境移行という。一般に変化の幅が大きいほど不安や混乱は大きくなる。

答3 × 生涯発達とは「受精してから死に至るまでの心身の変化」のことを指す。その過程は常に上昇的なものではなく、停滞したり、ときに後退したりする。

答4 × 記述のような理論は、アフォーダンスという。持つ、与えるという動詞をギブソン（Gibson J.J.）が名詞形にした造語である。

解答解説

解説文は、付属の赤シートで隠して穴埋め問題としても活用できます。

1回目

問5 教育は、人格の
の形成者とし
育成を期して

法律 教育基本法 1

でる

問6 保育所は、保育を
ら通わせて保育
二十人以上であ
く。）とする。

法律 児童福祉法

問7 締約国は、児童の
て確保する。

覚えたかな？ ここでCheck！

各章末の確認問題で学習チェックができます。穴埋め式になっているので、赤シートで隠して確認することができます。

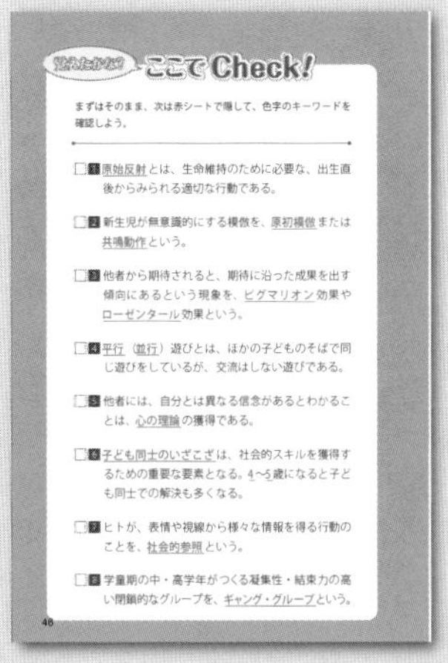
覚えたかな？ ここでCheck！

まずはそのまま、次は赤シートで隠して、色字のキーワードを確認しよう。

□1 原始反射とは、生命維持のために必要な、出生直後からみられる適切な行動である。

□2 新生児が無意識的にする模倣を、原初模倣または共鳴動作という。

□3 他者から期待されると、期待に沿った成果を出す傾向にあるという現象を、ピグマリオン効果やローゼンタール効果という。

□4 平行（並行）遊びとは、ほかの子どものそばで同じ遊びをしているが、交流はしない遊びである。

□5 他者には、自分とは異なる信念があるとわかることは、心の理論の獲得である。

□6 子ども同士のいざこざは、社会的スキルを獲得するための重要な要素となる。4〜5歳になると子ども同士での解決も多くなる。

□7 ヒトが、表情や視線から様々な情報を得る行動のことを、社会的参照という。

□8 学童期の中・高学年がつくる凝集性・結束力の高い閉鎖的なグループを、ギャング・グループという。

46

CONTENTS

1章 保育の心理学

2章 保育原理

3章 子ども家庭福祉

4章 社会福祉

5章 教育原理

6章 社会的養護

7章 子どもの保健

8章 子どもの食と栄養

9章 保育実習理論

保育士受験ガイダンス

試験内容等については変更になる可能性があります。事前に必ずご自身で、試験実施機関である（一社）全国保育士養成協議会の発表を確認してください。

1．受験資格を確認

保育士は、児童福祉法第18条の4に規定された資格で、「登録を受け、保育士の名称を用いて、専門的知識及び技術をもつて、児童の保育及び児童の保護者に対する保育に関する指導を行うことを業とする者」と定義されています。

保育士試験の受験資格は、学歴によるものと、勤務経験によるものがあります。区分が細かく規定されているため、詳細は試験実施団体等でご確認ください。

■試験のおおまかな流れ

受験申請書の入手・申し込み

↓

筆記試験（２日間）

↓

筆記試験の合格発表

↓

実技試験

↓

合格発表

↓ 合 格

保育士資格（登録）

2. 試験に関する問い合わせ先

一般社団法人 全国保育士養成協議会
〒171-8536　東京都豊島区高田3-19-10

保育士試験事務センター　https://www.hoyokyo.or.jp/
フリーダイヤル　0120-4194-82　代表電話　03-3590-5561
（オペレーターによる受付：月～金9：30～17：30祝日除く）
e-mail　shiken@hoyokyo.or.jp

3. 2024年度以降の主な変更点まとめ

◎法改正等で2024（令和6）年4月より変更された主なものを以下にまとめました。令和6年度後期試験から変更点が反映されます。

・「婦人相談所」は「女性相談支援センター」に名称変更
・「婦人相談員」は「女性相談支援員」に名称変更
・市区町村子ども家庭総合支援拠点は「こども家庭センター」へ移行
・子育て世代包括支援センターは「こども家庭センター」へ移行
・「福祉型児童発達支援センター」と「医療型児童発達支援センター」が一元化され、「里親支援センター」が児童福祉施設に新たに位置づけられる
・こども基本法の成立に伴い、改正児童福祉法が施行される

◎「日本人の食事摂取基準」について……本書では2020年版の内容に基づいて編集していますが、2025年版が公表予定となっており、公表後に本書内容が変更となる場合があります。

※本書は、原則として2024年6月現在の情報に基づいて編集しています。また、法律名などは略称を用いている場合があります。
※発達障害の日本語表記は異なる場合があります。

★'25年後期試験に向けた法改正はブログでフォロー
本書編集後の法律等の改正のうち、'25年後期試験への出題が予想されるものについては、本書専用のブログに掲載する予定です（アドレスは本書の最終ページ参照）。

1章

保育の心理学

子どもの発達や心理学の基本についての正しい理解が求められます。身体・運動・認知・社会性の各領域における発達の過程及び特性、生活と遊びを通しての経験や学習など、実際の保育に役立つ知識が問われます。

保育の心理学の重要ポイント

Point 1 乳幼児期の発達

発達段階	年齢		特徴
胎児期	受精〜誕生		妊娠5か月頃から聴覚が発達し始め、8か月で音を聞き分けて反応する。視覚は8か月で明暗を知覚する。情緒は9か月で刺激の嫌悪が表情の変化に現れる。
新生児期	誕生〜満28日未満		原始反射、共鳴動作や新生児微笑がみられる。 人の声や顔を好み、顔を向けることがある。
乳児期	満28日〜1歳頃		身体感覚をもとに自他の区別や外界を認識する。 社会的微笑や社会的参照など、社会的なやり取りがみられる。
幼児期	1歳頃〜6歳	おおむね1歳3か月〜2歳	歩行、言葉を開始する。 細かい手の動きが可能になる。
		おおむね2歳	自己意識が高まり、自己主張が強くなる。 語彙が増加する。
		おおむね3歳	基本的な身辺処理能力や運動技能が発達する。 他児との遊びを通した関わりが増える。
		おおむね4歳	運動能力、想像力、感情が豊かになる。 他者から見た自分に気づく。
		おおむね5〜6歳	社会生活に必要な基本的能力や集団規範が身に付く。 ルールを理解して遊べる。

子どもは生まれ持った能力と体験をもとに環境に働きかけ、様々な環境との相互作用によって発達する。保育士は身近な人的環境の役割を果たす。

Point 2 領域別の発達

領　域	発　達　概　要
身体機能	およそ身長50cm、体重3,000gで誕生。1歳までに身長1.5倍、体重3倍、2歳までに身長1.7倍、体重4倍になる。
運動機能	新生児期：人の顔や声の方へ顔を動かす。 生後3か月頃：自分の手をじっと見つめる。手に触れたものを口に入れる。 生後6か月頃：興味のあるものに手を伸ばす。 生後8か月頃：ハイハイを開始する。 1歳頃：歩行を開始し、行動範囲が広がる。 2歳頃：基本的な運動機能が発達する。 3歳頃：基本的な運動機能が伸び、生活習慣の自立が始まる。 4歳頃：全身のバランスを取る能力が発達する。 5歳頃：運動機能が飛躍的に伸びる。
言　語	クーイング（泣き声とは異なる静かで低い抑揚を持った音：生後1～2か月頃から）→喃語（多音節からなる音声：生後4～6か月頃から）→ジャルゴン（ジャーゴンともいう。話しかけるような、または独り言のように聞こえる発声：生後8～12か月頃から）
認　知	乳児期：身体感覚を通し自己や周りの世界を認識。 幼児期：注意力・記憶力・観察力など、基本的な認知能力が発達し（3歳頃）、自分とは異なる他者から見た自分に気づく（4歳頃）。
感　情	養育者とのやり取りを通して愛着を形成し、他者と自己のどちらも信頼できる感覚（基本的信頼感）を獲得する。 他者とのやり取りを通して、自己調整能力を培う。
社会性	反射的な行動（原始反射、生理的微笑など）から、大人との相互的なやり取りを通して、徐々に社会的な行動（共同注意、社会的参照、社会的微笑など）へと発達していく。 遊びを通して、社会生活に必要な能力を獲得する。

Point 3 ピアジェの発達論

ピアジェは、認知の発達は質的に異なる段階を経て順番に発達すると考えた。それぞれの段階には特有の認知の枠組みがあり、同化と調節を繰り返しながら次の段階へと移行する。

感覚運動期 0〜2歳頃 感覚器官を通じて取り込まれた刺激に運動で反応する	0〜1か月	反射の行使の段階	環境に適応するのにもっぱら生得的な反射（新生児反射）を用いる。
	1〜3・4か月	第１次循環反応の段階	行為そのものに関心があり繰り返し同じ行為を行う第1次循環反応により、新たな行動（習慣）が獲得される。
	3・4〜8か月	第２次循環反応の段階	目と手の協応が成立する。見た物をつかむという行動が興味のある結果を生じさせるため、繰り返し同じ行為がなされる。
	8〜11・12か月	第２次的シェマの協応と新しい状況への適応の段階	目的に応じて手段をとることができる。隠れている物は見えないが、物自体は存在することがわかるようになる（物の永続性が理解できるようになる）。
	11・12〜16か月	第３次循環反応の段階	手段を変化させその結果の違いを見るという能動的実験により新たな手段を発見することができる。
	16〜24か月（心的表象の発現期）	新しい手段の発明の段階	表象（イメージ。目の前にない物を想起すること）や、象徴機能（目の前にない物を、別の物で表現すること）があらわれ始める。目の前にモデルがいなくてもそのイメージからまねをする遅延模倣をすることもできる。
		表象が形成され、頭のなかのイメージを使って考えることができ、言葉や物に意味を付与し、内的世界が成立する。目の前にない物や出来事について記憶し、思考する範囲が広がっていく。	

前操作期	2〜 7・8歳頃	ほかに、他者の視点に立つことはできず自己中心的という特徴がある。また、保存（見かけが変化しても量や重さなどの対象の本質的な特徴は変化しないこと）の概念が未成立で、見かけにだまされやすい。 前半を前概念的思考段階といい、概念は個人的な経験に依存し、不安定であり、シンボルと対象を明確に分けられない時期である。 後半を直観的思考段階といい、概念が安定して一般的な概念に近づくが、論理の適用はできない。
具体的操作期	7・8〜 11・12歳頃	具体的に物を取り扱う限りは論理的に考えることができる。7〜8歳頃には長さ・量・数の保存の概念が生じ、9〜10歳を過ぎる頃には面積・重さの保存の概念をもつようになる。
形式的操作期	11・12〜 14・15歳頃	具体的な物を通して考えるだけではなく、記号だけを用いても考えることができるようになる。仮説演繹的思考もできるようになる。

Point 4 心理学の重要人物

ピアジェ	思考の発達段階（シェマ、同化と調節、物の永続性）
エリクソン	ライフサイクル論（心理社会的発達段階）
ヴィゴツキー	発達の最近接領域、外言と内言
パーテン	遊びの分類
ブロンフェンブレンナー	発達の生態的環境理論（同心円状の入れ子構造）
ゲゼル	レディネス
ボウルビィ	アタッチメント（愛着）理論
スピッツ	3か月微笑（社会的微笑）、8か月不安
ワトソン	行動主義心理学
ガードナー	多重知能説
ポルトマン	生理的早産
バンデューラ	モデリング、自己効力感
ギブソン	アフォーダンス

Lesson 1

保育と心理学（1）

問1　ゴールトンは、「優生学」という遺伝法則を人類の改良に応用する考え方を提唱した。

問2　人生の出来事や移動などによって環境が変わることを、環境移行という。

問3　人の生涯発達とは、上昇的変化の過程を意味する。

でる　問4　環境や価値の意味は、人間の心の働きによって生まれるものではなく、環境自体が持っているものだという理論をレジリエンスという。

でる　問5　パーテンは、人間の母と子が親密な関係を持ち、相互に満足する関係を継続して保つことが精神衛生の基本的なものであるとした。

問6　エリクソンの心理社会的発達理論では、「基本的信頼」とは、養育者や周りの大人への信頼感のことである。

問7　メタ認知が発達するのは、幼児期後期からである。

答1 ◯

生物学や遺伝学によって偏見と先入観にとらわれないように、データや統計的手法を用いることの大切さを主張した人物である。

答2 ◯

人生の出来事や移動などによって環境が変わることを、環境移行という。一般に変化の幅が大きいほど不安や混乱は大きくなる。

答3 ×

生涯発達とは「受精してから死に至るまでの心身の変化」のことを指す。その過程は常に上昇的なものではなく、停滞したり、ときに後退したりする。

答4 ×

記述のような理論は、アフォーダンスという。持つ、与えるという動詞をギブソンが名詞形にした造語である。

答5 ×

記述は、アタッチメント（愛着）理論についてで、提唱したのはボウルビィである。パーテンは、遊びの分類で知られる。

答6 ◯

基本的信頼は誕生から育つ過程で、「困ったときも誰かが助けてくれる」と感じる経験を積み重ねることによって得られる。

答7 ◯

メタ認知とは、「認知することをより高い視点から認知する」ということである。幼児期後期から発達する。

Lesson 2 保育と心理学（2）

でる 問1 保育者としては、発達は環境的要因のみでとらえることが重要である。

でる 問2 乳児は特定の大人を安全基地として、積極的に探索活動を行う。

問3 幼児期になると、目の前にいなくても養育者のイメージを想起することによって、安心感を得ることができるようになる。

問4 一人ひとりの幼児が主体性を発揮することによって、ときに葛藤が生じることもある。

問5 ローレンツは、乳児の身体に比して小さな頭、小さな目などの身体的特徴を幼児図式（ベビースキーマ）と呼んだ。

問6 自己統制能力とは、他者の行為を認めるだけでなくその背後にある思考や感情などについて気づき、理解する力である。

問7 子どもは、大人によって生命を守られ、愛され、信頼されることにより、情緒が安定するとともに人への信頼感が育つ。

1回目 /7点　2回目 /7点

答1 ×

保育者としては、**遺伝**的要因と**環境**的要因のどちらかのみで発達をとらえるのではなく、**相互が作用し合う**ものとしてとらえることが望ましい。

答2 ○

乳児は、**愛着**（情緒的な絆）対象である養育者を**安全基地**とし、安心感を得ることで、積極的に探索活動をすることができる。

答3 ○

この場合の幼児の持つ養育者（愛着対象）のイメージを、**内的ワーキングモデル**という。

答4 ○

葛藤は、**自己抑制**と**自己主張**のバランスを、自己調整することである。幼児期の葛藤は、自己調整を学ぶ機会となる。

答5 ×

乳児の身体に比して**大きな**頭、顔の中央よりやや下に位置する**大きな**目、丸みを持ったからだつきを**幼児図式**（**ベビースキーマ**）と呼ぶ。養育行動を引き出す効果がある。

答6 ×

記述は、**他者理解・共感**である。**自己統制能力**は、自分の思考や感情を客観的にとらえ、自他を正当に比較し、他者の立場を推測できる能力である。

答7 ○

この関係を起点として、次第に他の子どもとの間でも相互に働きかけ、関わりを深め、人への**信頼感**と自己の**主体性**を形成していく。

Lesson 3

保育と心理学（3）

問1 エインズワースは、ストレンジ・シチュエーション法で親子間の愛着の質を調べた。

問2 エリクソンは、心理・社会的発達段階説を唱え、乳児期に獲得したい心性は希望だといった。

問3 フロイトは、人間のパーソナリティの特徴を、イド、自我、超自我の3つの働きから構成されると考えた。

問4 赤ちゃん返りは、適応機制の種類としては「合理化」にあたる。

問5 ユングは、心的エネルギーの方向を、内向性と外向性の2つに分類した。

問6 脱中心化とは、「自己中心性を脱し他者の視点を理解できるようになること」である。

でる

問7 老年期に、健康、生存、生活満足感の3つが結合した状態をフレイルという。

1回目 /7点 2回目 /7点

答1 ◯

乳幼児にみられる愛着パターンを、Aタイプ（回避型）、Bタイプ（安定型）、Cタイプ（アンビバレント型）の3つに分類した。のちに第4のタイプ無秩序・無方向型も追加された。

答2 ◯

心理・社会的発達段階説（ライフサイクル論）では、乳児期に基本的信頼感を獲得できた子どもは、希望を持ち、今後出会うさまざまなものを「信じる」ことが可能になるとした。

答3 ◯

フロイトは、パーソナリティの発達段階を、人間のあらゆる営みの源である性的な無意識の本能衝動（リビドー）によって示した。

答4 ×

赤ちゃん返りは退行である。困難な事に直面した時、過去の発達段階で成功した欲求満足の方法に逆戻りする。合理化は、屁理屈や負け惜しみなど。

答5 ◯

一般的に、人は両者をあわせもつため、内向性と外向性、どちらかの「傾向をもつ」といえる。

答6 ◯

ピアジェは、認知発達段階における前操作期（2〜7歳頃）から、具体的操作期（7〜11歳頃）への移行段階で、生じると主張した。

答7 ×

サクセスフル・エイジングである。フレイルは、老化の過程で生じる自立機能や健康を失いやすい状態のことであり、身体的、心理的、社会的の3つの要素から構成される。

Lesson 4

発達の理論

でる 問1 人間は生理的早産の状態で生まれる。

問2 人間に特有の出生時の特徴は、二次的就巣性と呼ばれている。

問3 スキャモンは、運動神経を含む神経系の発達には、飛躍的な発達が見られる期間があると主張した。

でる 問4 ブロンフェンブレンナーは、子どもが直接触れ合う関係(子どもと親、子どもときょうだい、子どもと保育士など)を、マクロシステムと呼んだ。

問5 ジェンセンは、人の心身の特質の発達には環境も遺伝も相互に関連すると唱えた。

問6 手続き的記憶は、個人が経験した出来事に関する記憶のことである。

でる 問7 学習を可能にし、成立させるために必要な発達の素地を、レディネスという。

答1 ○

ポルトマンは、人間は未成熟な状態である生理的早産の状態で生まれるとした。

答2 ○

高等哺乳類は離巣性を特徴とするが、人間の場合、感覚機能は母胎内で発達し、運動機能は誕生後に発達するという二次的就巣性を特徴とする。

答3 ○

スキャモンの4つの発育曲線パターンからは、神経型は6歳では全体の約90%に達するほど急激に伸びるため、0歳から6歳までに多様な動きや運動遊びを経験することが重要である。

答4 ×

記述は、マイクロシステムの説明である。マクロシステムは、信念体系や価値観、法律、文化などの社会的文脈のことを指す。

答5 ○

心身の諸特質の遺伝的可能性が現れるのに必要な環境条件は、その特性により異なり、固有な一定の水準（閾値）がある考え方を環境閾値説という。

答6 ×

記述は、エピソード記憶である。手続き的記憶は、同じような経験の繰り返しで獲得され、一旦形成されると意識的な処理を伴わず自動的に機能し、長期間保存される記憶のこと。

答7 ○

学習するための準備が整っている状態をレディネスという。ゲゼルは、レディネスに相応する課題を与えるという考えを示した。

Lesson 5

認知の発達

でる 問1 「現時点での発達水準と、直近の時点において到達する可能性のある発達水準との間のへだたりを表す説明概念」は、ピアジェが提唱した。

でる 問2 子どもの認知発達には、自力で遂行可能な現在の発達レベルと、大人や仲間の援助を必要とする潜在的な発達レベルがある。

問3 ピアジェのいう前操作期とは、0歳後半から7歳までの年齢段階を指す。

問4 ピアジェの分類による前操作期の子どもは、時間の経過や見かけの変化に惑わされやすいという特徴がある。

でる 問5 数えていった最後の数がその集合の大きさを表わすことを「計数」という。

問6 パブロフが発見した「梅干を思い浮かべただけで唾液が出てくる」というような認知メカニズムを、レスポンデント条件づけという。

でる 問7 幼児期の子どもは、「すべての物に生命がある」という考えを持つことがある。

答1 ×

発達の最近接領域を唱えたのは、ヴィゴツキーである。ピアジェは、認知発達理論を唱えた。

答2 ○

子どもの認知発達における2つのレベルの間の領域を、発達の最近接領域という。

答3 ×

前操作期は、2～7・8歳頃を指す。さらに、その前半を前概念的思考段階、後半を直観的思考段階と分けた。

答4 ○

前操作期の子どもは、思考が知覚に支配されているため、見かけに着目しやすい。また、客観的にとらえることができず、自己中心性を特徴とする。

答5 ×

数えていった最後の数がその集合の大きさを表わすことは、基数の原理という。「計数」は、数を数えることを指す。

答6 ○

口に入れなくてもその味をすでに経験しているので、思い浮かべただけで唾液が出る。これをレスポンデント条件づけ（古典的条件づけ）と呼ぶ。

答7 ○

ピアジェによると、幼児期の子どもは、「すべての物に生命がある」という考えを持つことがあるという。それをアニミズムと呼ぶ。

Lesson 6

言葉の発達

問1 乳児の最初の指差しは、「応答の指差し」と呼ばれる。

問2 話し言葉の基となる発声は、生後1～2か月頃から現れる喃語にみられる。

問3 子音と母音が繰り返される反復喃語（規準喃語）を発するようになるのは、6～7か月頃である。

でる

問4 6か月頃、初語という意味のある言葉を話し始める。

問5 ピアジェは、幼児のひとりごとを、外言が内言として内在化する過程で出現するとした。

問6 5歳頃に物や場所の取り合いによるトラブルが多いのは、自分の思いを言葉で表現することが十分にできないからである。

でる

問7 親しい人との対話を通して交わされる言葉を、一次的言葉という。

答1 ×
最初の指差しは、漠然とした指差し行動と呼ばれ、驚き・興味・再認を表すもので8～9か月頃にみられる。応答の指差しは、聞かれたものを指差して答える可逆の指差しのこと。

答2 ×
喃語は、生後4か月頃から発する。生後1～2か月頃から現れる発声は、クーイングという。

答3 ○
6～7か月頃から反復喃語（規準喃語）を発するようになる。喃語（不完全喃語）は、4か月頃から発する。

答4 ×
初語は1歳頃にみられる。これらは「マンマ」「ブーブー」など発音しやすい言葉で、身近な人や物に関わる名詞が多い。

答5 ×
記述は、ヴィゴツキーである。ピアジェは、言語発達を「自己中心的言語から社会的言語となる」と主張した。

答6 ×
5歳頃は、自分の思いを言葉で表現することができる年齢である。このようなトラブルは3歳頃によくみられ、言葉の未熟さも一因である。

答7 ○
具体的な事柄について目の前の他者と会話する言葉を一次的言葉という。幼児期から学童期には、不特定多数の他者へ向けた二次的言葉へ移行する。

Lesson 7 社会性の発達

問1 自己の様々な特性を他者と比べることを、「社会的比較」という。

でる
問2 6か月頃から8か月頃の時期は、人見知りが激しくなる。

問3 社会的微笑とは、ヒトが表情や視線から様々な情報を得る行動のことをいう。

でる
問4 学童期の子どもは、次第に親や大人の価値観を重視するギャング・グループとよばれるグループを形成する。

でる
問5 ごっこ遊びができるようになるには、象徴機能の発達が必要である。

問6 乳児は、大人の話しかけに合わせて自分の身体を動かす。

問7 ヒトは、5歳ごろに、他者の視点を取得し、自己と他者のこころの状態の違いを理解する。

答1 ○
児童期後半になると、社会的比較を行うことで、これまでと比べて自己への評価が下がることも見られる。幼児期にも、社会的比較が見られることもある。

答2 ○
見慣れた人と見知らぬ人を区別したり、見知らぬ人が関わろうとすると顔をそむけたり泣き叫んだりすることは人見知り、または8か月不安という。

答3 ×
記述は、社会的参照（ソーシャルリファレンシング）である。1歳前後になると自分の行動の指針として、他者のまねをするようになる。

答4 ×
ギャング・グループは、強い仲間意識と集団内の規範をもち、しばしば親や大人の介入を排除しようとする集団である。

答5 ○
象徴機能とは、例えば葉っぱをお皿に見立てることができる能力のことである。象徴機能の発達によって、ごっこ遊びが可能になる。

答6 ○
コンドンとサンダーは、乳児が大人の話しかけに合わせて自分の身体を動かすことを、エントレインメントといった。

答7 ×
「サリー・アンの課題」から、幼児は2歳から4歳ごろに徐々に他者の気持ちが理解できるといわれている。最近の研究では、より幼いころから理解できる能力が芽生えるとされている。

Lesson

8 子どもの精神保健

問1 反応性愛着障害を持つ子どもは、特定の養育者に愛着を持っている。

でる

問2 注意欠如・多動症（ADHD）の子どもは、保育者の話をさえぎり他の子どもに話しかけたり、話の途中で答えを言ったりする事がある。

問3 見知らぬ大人になれなれしくしたり給食を大量に食べたりすることは、虐待されている子ども（被虐待児）のサインとなる場合がある。

でる

問4 言葉の発達は正常であるにもかかわらず、特定の場面（例えば保育所）で話せないでいる状態は、吃音《きつおん》が疑われる。

問5 突発的、急速に繰り返される不規則な瞬きや咳払いをすることは、自閉スペクトラム症における特徴的な行動のうちのひとつである。

問6 全体的な知能、視力や聴力が正常で意欲もあるにもかかわらず、読む、書く、計算するといった特定のものの習得と使用に著しい困難を示す状態を、パニック症という。

でる

問7 「心の理論」とは、他者には自分の知っていることと異なる信念があるとわかることである。

答1 ×

反応性愛着障害（反応性アタッチメント症）は、ネグレクトや虐待などにより、特定の養育者との間に愛着関係が形成できなかったことによる障害である。

答2 ○

注意欠如・多動症（ADHD）の子どもは、注意を持続させたり、集中したりすることが難しい。

答3 ○

見知らぬ大人になれなれしくしたり、給食を大量に食べたり、常に衣服が汚れていたり、不自然な部位にあざがみられる場合、虐待が疑われる。

答4 ×

場面（選択性）緘黙《かんもく》が疑われる。吃音は言葉の開始時に、最初の音を何回も速く繰り返す、次の音が出ないなど流暢に話せない状態を指す。

答5 ×

体の一部あるいは全身が不随意に瞬間的に動いてしまうのは、チックの症状である。

答6 ×

記述は、限局性学習症である。パニック症は、極めて強い苦痛、不安、恐怖などが突然現れて短時間で治まる発作（パニック発作）が、繰り返し生じる症状のことである。

答7 ○

自閉スペクトラム症児は、心の理論の獲得が困難であるという指摘もある。

Lesson 9

生涯発達（1）

問1 NICU（新生児集中治療室）入室などによる産後の長期の母子分離は、母親の産後うつ病の危険因子になる。

問2 特定の時期に特定の刺激によって生じた反応が、反復的な学習・経験・報酬がなくても一貫して生じ半永久的に消失しない現象を刷り込みという。

問3 原始反射とは、生命維持のために必要な、出生直後からみられる適切な行動である。

問4 口に入ってきたものに吸い付いてすする行動は、食行動の一つの基礎である。

問5 モロー反射とは、新生児が足裏に刺激を受けたときに、足の親指が反り返ったり、他の4本の指が扇状に開いたりする反射である。

でる
問6 様々な種類の原始反射は、生後1週間でほとんど消失する。

問7 自分の身体感覚を働かせて楽しむ遊びのことを、感覚遊びという。

1回目 /7点　2回目 /7点

答1 ○

低出生体重児の出生や、NICU入室などによる長期の母子分離は、産後うつ病を引き起こす可能性があり、危険因子であるといえる。

答2 ○

ローレンツは反復的な学習・経験・報酬がなくても、特定の時期に特定の刺激によって生じた反応が半永久的に消失しない現象を刷り込み（またはインプリンティング）といった。

答3 ○

原始反射は脳の発達に伴いみられなくなり、代わりに随意運動が活発になる。正常な発達をしている場合は生後数か月のうちにみられなくなる。

答4 ○

吸啜《きゅうてつ》反射は、新生児が栄養補給するための反射行動である。

答5 ×

新生児が足裏の外側面に刺激を受けたときに、足の親指が反り返ったり、他の4本の指が扇状に開いたりする反射を、バビンスキー反射という。

答6 ×

原始反射には、吸啜反射、口唇探索反射、把握反射、モロー反射、バビンスキー反射などがあり、消失時期はそれぞれ異なる。

答7 ○

感覚遊びには、乳児における指しゃぶり、ガラガラをふって鳴らす、たいこをたたいて楽しむ、風車を見て喜ぶ、などがある。

Lesson 10

生涯発達（2）

問1 誕生直後の新生児は目が見えないが、数日で成人並みの視力になる。

問2 アイ・コンタクトは、生後2か月頃から人との間で目が合うようになることで、視線接触ともいう。

問3 新生児が、大人の話しかけに同期して自分の体を動かすことをクーイングと呼ぶ。

問4 乳児の泣きや怒りをおさめ、おだやかな状態を回復するための手立てとして役立つものは、タッチング（スキンシップ）である。

でる 問5 探索活動は、なじみのある場所、事物、状況で活性化する。

でる 問6 新生児は、大人と同じような表情を示すことがある。

でる 問7 0歳後半には、共同注意ができるようになる。

答1 ×

新生児の段階では、0.01程度の視力であり、生後半年頃に0.1程度、3歳頃には1.0程度に発達する。

答2 ○

アイ・コンタクトは、二者が関係を持ち、二者間で気持ちが通じ合うことの一つの確かな指標となるものである。

答3 ×

新生児が大人の話しかけに同期して自分の体を動かす現象は、エントレインメントと呼ぶ。クーイングは、喃語の前の段階の発声である。

答4 ○

タッチングは皮膚接触、皮膚関係とも呼ばれ、乳幼児に対する頬ずりや抱くなどの行為を指す。対人関係や性格形成に必要不可欠な要素とみなされている。

答5 ×

探索活動は、新奇性、複雑性、意外さ、変化や不調和などにより活性化する。

答6 ○

新生児が無意識的にする模倣のことを原初模倣または共鳴動作という。乳児期後期に、意図的な模倣が出現するとともに消失する。

答7 ○

共同注意とは、視線や指差しについて、何を見たり指したりしているのかを相互了解することであり、生後8～9か月頃からみられるようになる。

Lesson 11

生涯発達（3）

でる 問1 満1歳くらいまでは、目の前の物が隠されても手を伸ばさない。

問2 生後3か月頃になると、自分の手を目の前にかざしてじっと見つめるハンドリガードがみられる。

問3 乳児でも、他児に対して興味を示す。

でる 問4 ルイスは、誕生時には「充足（満足）、興味、苦痛」の原初的感情を持って生まれるという説を唱えた。

問5 1歳3か月頃から2歳未満の時期に、歩き始め、手を使い、言葉を話す。

問6 1歳以上3歳未満児では、便器での排泄になれ、自分で排泄ができるようになることをめざす。

問7 2歳頃になると、自分を強く主張するようになる。

1回目 /7点　2回目 /7点

答1 ×

生後8～12か月頃には、目の前から見えなくなると自分から探したり手を伸ばしたりする（物の永続性の理解の成立）。

答2 ○

ハンドリガードにより、自分の見ている手が自分で動かしている手であることに気づき、身体感覚と結びつけることで身体的自己を発見する。

答3 ○

生後3か月の乳児でも、他児に対して興味を示すことがわかっている。乳児は相互交渉まではできないが、他児に対して、じっと見たり、発声したり、微笑したり、接触したりする。

答4 ○

原初的感情に加えて、生後3か月頃までの「喜び、悲しみ、嫌悪」、6か月頃までの「驚き、怒り、恐れ」の感情を合わせて一次的感情と定義した。

答5 ○

1歳3か月頃から2歳未満の時期に、歩行、言葉の開始とともにつまむ、めくる、はずすなどの細かい手の動き（微細運動）ができるようになる。

答6 ○

排泄の身体的機能が整うのはおおむね2歳前後である。トイレ・トレーニングは、身体の排泄にかかわる機能の成熟状況をみて行う。

答7 ○

2歳頃になると、自己意識の高まりとともに、「自分で」「○○ちゃん（自分の名前）がやる」など、自己主張が強くなる。

Lesson 12 生涯発達（4）

でる 問1 3歳頃には、役割分担のある協同的な遊びができるよう促す必要がある。

でる 問2 パーテンは、社会性の発達の面から子どもの遊びを6段階に分類した。

問3 5歳児では仲間との遊びが多くなり、ひとり遊びは見られない。

問4 4歳頃になると、全身のバランスを取る能力が発達し、体の動きが巧みになってくる。

でる 問5 4歳頃になると、他者の心の状態について推測することができるようになる。

問6 サリー・アンの課題やスマーティ課題は、誤信念課題の例である。

問7 自分がやりたいことと仲間のやりたいこととのぶつかり合いを、対人拮抗という。

答1 ×

2〜3歳児では、平行（並行）遊びにあたる状況が多い。4〜5歳になるとよくみられる役割分担のある活動は、無理に促す必要はない。

答2 ○

何もしていない行動、ひとり遊び、傍観者的行動、平行（並行）遊び、連合遊び、協同遊びの6つに分類した。

答3 ×

ひとり遊びは、周りに他児がいてもひとりで遊ぶ様子である。5 歳児でも活動内容によっては見られる。

答4 ○

4歳頃になると、全身のバランスを取る能力が発達し、片足跳びをするなど体の動きが巧みになってくるとともに、運動量も増えてくる。

答5 ○

相手の心の中を推察したり、他者が自分とは異なる意識を持つと考えることができたりする能力を心の理論といい、4歳頃に獲得される。

答6 ○

誤信念課題とは、他者が現実と異なる状態を信じているとき、頭の中にだけ存在する信念を理解することが問われるもの。相手の立場に立ち、相手の心や行動がわかるかどうかを測る。

答7 ×

対人葛藤である。2〜3歳頃では平行遊びが多いが、4〜5歳頃になり活発なやり取りで遊ぶようになると、自分と仲間のやりたいこととのぶつかり合いを経験することになる。

Lesson 13

生涯発達（5）

問1 エリクソンは1歳から3歳ごろの幼児期初期（前期）は、自分の行動をコントロールすることで、自律性を身につけられる時期だとした。

問2 6歳頃になると、ようやく、他者から見た自分に気づくようになる。

でる **問3** 5歳頃から、ごっこ遊びがみられるようになる。

問4 学童期の仲間は、観察学習のモデルとして相互に影響を及ぼし合う存在である。

でる **問5** 男児に行動力や力強さ、女児にしとやかさやていねいさを求めるような、性別に沿った役割が期待されることを性役割期待という。

でる **問6** 小学校高学年になると、具体的な事物については論理的思考ができるようになる。

問7 学童期は、競争意識や共同（協同）意識が高まる。

1回目 /7点　2回目 /7点

答1 ○
言語も発達し、排泄や着替えを自分で行おうとするなど、自律性を身につける時期である。自分という主体性や自主性の基盤となる。上手くいかないと葛藤が起こる（恥、疑惑）。

答2 ×
他者から見た自分に気づくようになるのは、4歳頃である。なお、他者の視点から考えることができるようになるのは、7～8歳頃である。

答3 ×
2歳頃からごっこ遊びができるようになる。3歳頃には、注意力や観察力、記憶力が発達し、日常の経験を再現するなど、遊びに発展性がみられる。

答4 ○
学童期の仲間関係は、見本（モデル）の行動やその行動の結果を観察することで学ぶ観察学習（モデリング）のモデルとして社会的相互作用を行う。

答5 ○
性役割期待は、男女それぞれに対する心理・社会・文化的な面での役割や特徴に基づいて周囲が個人にもそれに沿った言動を期待することである。

答6 ×
小学校1～2年生にあたる低学年で、ピアジェの発達理論における具体的操作期に入るので、その年齢から具体的な事物については、論理的思考ができるようになる。

答7 ○
学童期は、競争意識や共同（協同）意識が高まり、ドッジボールやサッカーなどのスポーツを好むようになる。

Lesson 14 生涯発達（6）

問1 何らかの心理的要因により児童生徒が登校しない、あるいはしたくともできない状況は、「不登校」である。

問2 大人のアタッチメント（愛着）の個人差の測定方法には、アダルト・アタッチメント・インタビューがある。

でる 問3 青年期は、自己の内面に目を向け、親との心理的離乳を図る。

でる 問4 モラトリアムの期間に入る頃には、アイデンティティを確立している。

問5 コンボイモデルによると、高齢者の社会生活における人間関係は、若い頃より仕事や趣味での役割が減り、離別や死別を経験しソーシャルコンボイの規模が小さくなる。

でる 問6 青年期に特徴的な友人関係を、ギャング・グループという。

問7 子どもが巣立つ時期には、親は、子どもとの関係と夫婦間の関係を再構築することが課題となる。

1回目 /7点　2回目 /7点

答1 ○

文部科学省は、心理的、情緒的要因の他に、身体的あるいは社会的要因・背景も要因の一つであると定義している。

答2 ○

成人の語りに基づいてアタッチメントを測定・分類する半構造化面接法であり、成人期のアタッチメント測定に広く用いられている。

答3 ○

青年期は、アイデンティティ（自己同一性）確立の時期であり、身体的心理的に成長するとともに、親からの心理的離乳を図る時期である。

答4 ×

モラトリアムとは、アイデンティティが確立しておらず模索している段階のことで、社会的責任や義務が生じていない、または回避している時期となる。

答5 ○

コンボイ（護衛艦）モデルは、プラースの考え方を発展させたもので個人のネットワーク構造を表す。高齢者はコンボイの規模は縮小するが、新たな人々との関係を築くこともある。

答6 ×

青年期に特徴的な友人関係をピア・グループという。学童期から青年期にかけて、ギャング・グループ、チャム・グループ、ピア・グループへと発達する。

答7 ○

例えば、子育てだけに力を尽くし、子育てが終わった後に他にやるべきことが見いだせずに抑うつ状態になってしまうことを、空の巣症候群という。

Lesson 15

保育実践

でる

問1 保育所は、「全体的な計画」を作成しなければならない。

問2 保育士には、児童福祉法で守秘義務が課せられている。

問3 保育所は、虐待のリスク要因を発見しやすい場であるので、虐待の疑われるケースを発見した保育士は、保護者への指導を行う。

でる

問4 保育所での親子分離援助の一つとして、1日の流れをスクリプトとして理解することを促すことがあげられる。

でる

問5 スクリプト獲得の方法として、子どもの発達に合わせて1日の活動の流れや時間の区切りなどを、聴覚的に示すことは有効である。

問6 保育をとらえる方法は、「場面を特に限定せずそこでおこっている心がひきつけられる出来事をできるだけそのままに感じる」やり方の自然的観察法のみが用いられる。

問7 一人一人の子どもに「どのような」支援や配慮が必要となるか、保育所で蓄積した情報を保育所幼児保育要録として小学校に送付する。

1回目 /7点　2回目 /7点

答1 ○

「**全体的な計画**」は、入所から就学までの全期間に保育の目標達成のため、どのような道筋をたどり、養護と教育が一体となり進めていくかを示すもの。

答2 ○

同法第18条の22に「正当な理由がなく、その業務に関して知り得た人の**秘密**を漏らしてはならない。保育士でなくなった後においても、同様とする。」とある。

答3 ×

虐待が疑われる場合、**保育所**職員や**児童相談所**と相談し、**連携**しながら、適切な対応をとるべきことが保育所保育指針に示されている。

答4 ○

スクリプトとは、「日常生活で起こり得る状況を理解し、適切にふるまう定型化された知識」のことである。

答5 ×

1日の活動の流れや時間の区切りなどを、**視覚**的に示すことが効果的である。

答6 ×

保育の場でも、仮説を立てたり、条件をできる限り統制したりする**実験的観察法**も用いられる。

答7 ×

小学校に送付する資料は、「**保育所児童保育要録**」である。

覚えたかな？ ここでCheck！

まずはそのまま、次は赤シートで隠して、色字のキーワードを確認しよう。

- □ **1** 原始反射とは、生命維持のために必要な、出生直後からみられる適切な行動である。
- □ **2** 新生児が無意識的にする模倣を、原初模倣または共鳴動作という。
- □ **3** 全ての物に生命があるという考え方を、アニミズムという。
- □ **4** 平行（並行）遊びとは、ほかの子どものそばで同じ遊びをしているが、交流はしない遊びである。
- □ **5** 他者には、自分とは異なる信念があるとわかることは、心の理論の獲得である。
- □ **6** 子ども同士のいざこざは、社会的スキルを獲得するための重要な要素となる。4～5歳になると子ども同士での解決も多くなる。
- □ **7** ヒトが、表情や視線から様々な情報を得る行動のことを、社会的参照という。
- □ **8** 学童期の中・高学年がつくる凝集性・結束力の高い閉鎖的なグループを、ギャング・グループという。

2章 保育原理

保育所保育の基本や内容、保育所の社会的役割や法制度、保育の歴史と思想家は必須のポイント。事例により保育の内容や保護者への支援について問う問題は増加傾向にあります。また、保育所保育指針や保育関連法の穴埋め問題も毎年出題されます。

保育原理の重要ポイント

Point 1 保育に関わる歴史的人物

人物名	主な功績や著書など
ルソー	子どもの発見者、消極教育、『エミール』『社会契約論』『人間不平等起源論』
オーベルラン	世界最初の保育施設を設立、実物教育
ペスタロッチ	民衆教育の父、貧児教育、労作教育、直観教授、メトーデ、『隠者の夕暮』『白鳥の歌』『リーンハルトとゲルトルート』『シュタンツ便り』『幼児教育の書簡』
オーエン	性格形成学院、幼児学校開設 『新社会観』
フレーベル	一般ドイツ幼稚園、恩物（ガーベ）の考案 『人間の教育』『母の歌と愛撫の歌』
モンテッソーリ	子どもの家創設、モンテッソーリ教具の開発 『子どもの発見』『幼児の秘密』
シュタイナー	自由ヴァルドルフ学校設立、オイリュトミーを考案
倉橋惣三	東京女子高等師範学校教授兼附属幼稚園主事、誘導保育、『系統的保育案の実際』『育ての心』『幼稚園真諦』『子供讃歌』
城戸幡太郎	社会協力、保育問題研究会、『幼児教育論』

Point 2 保育所、幼稚園の関係

	保育所	幼稚園
根拠法令	児童福祉法	学校教育法
管轄省庁	こども家庭庁	文部科学省
設置運営の基準	児童福祉施設の設備及び運営に関する基準	幼稚園設置基準
保育の指標	保育所保育指針	幼稚園教育要領

Point 3 保育に関する法律等

教育基本法　2006（平成18）年改正

第11条に幼児期の教育について記されている。

保育所保育指針　2018（平成30）年施行

厚生労働大臣告示として定められており、規範性がある。

児童福祉法

保育所はこの法律に基づく児童福祉施設である。2020（令和2）年4月施行の法改正ポイントは、児童虐待防止対策の強化を図るため「親などによる**体罰禁止**」「児童相談所の体制強化」など。なお、2024（令和6）年4月には、「子育て世帯に対する包括的な支援のための体制強化」等が施行された。

児童の権利に関する条約（子どもの権利条約）

1989（平成元）年国連総会において採択され、日本は1994（平成6）年に批准した。子どもを「保護の対象」であると同時に、「権利の主体」として尊重している。

子ども・子育て支援新制度

子ども・子育て関連3法に基づき、2015（平成27）年4月開始。認定こども園の普及を図り、待機児童を減らす。

こども基本法

2023（令和5）年「**こどもまんなか社会**」の実現に向けて、**こども家庭庁**がスタート。同時に、「**こども基本法**」が施行された。この法律は、日本国憲法と児童の権利に関する条約に基づき、全てのこどもが幸せになれるよう、**こども施策**を総合的に進めることを目的としている。

こども大綱

こども基本法に基づき、こども施策を総合的に推進するために定められたもの。全てのこども・若者が身体的・精神的・社会的に幸せな状態で生活が送れるよう、基本的方針が示されている。

Point 4 特別保育事業

子育て支援と多様な保育ニーズに対応するために実施する。

①延長保育促進事業及び長時間延長保育促進基盤整備事業
②一時保育促進事業
③乳児保育促進等事業
④地域子育て支援拠点事業
⑤保育所地域活動事業
⑥障害児保育対策事業
⑦家庭支援推進保育事業
⑧休日保育事業
⑨送迎保育ステーション試行事業
⑩駅前保育サービス提供施設等設置促進事業
⑪家庭的保育等事業
⑫認可化移行促進事業

Point 5 地域型保育事業

地域型保育事業は、施設（幼稚園、保育所、認定こども園）よりも少人数単位で、0歳から2歳の子どもを預かる事業であり、児童福祉法に基づいた「家庭的保育事業等の設備及び運営に関する基準」に従う。以下の4つに分類される。

	特　徴
家庭的保育事業	保育者の居宅または施設等で、家庭的保育に近い雰囲気で保育を行う。定員1～5人。
小規模保育事業	保育者の居宅または施設等で、家庭的保育に近い雰囲気で保育を行う。A型（保育所に近い）、B型（中間型）、C型（家庭的保育に近い）に分けられる。定員6～19人。
事業所内保育事業	会社の事業所内で、従業員の子どもと地域の子どもを一緒に保育する。
居宅訪問型保育事業	障害や疾病などで、個別のケアが必要な場合や地域に施設がなくなって保育を維持する必要がある場合、子どもの自宅にて一対一で保育を行う。

Point 6 日本の保育の歴史

1876(明治9)年	東京女子師範学校附属幼稚園開園	日本で最初の幼稚園
1880(明治13)年	政府が都道府県に子守学校設置を命じる	子守で就学困難な子どものための教室
1883(明治16)年	渡辺嘉重が茨城県に日本初の子守学校を開設	連れてこられた幼い子どもたちも保育の観点から教育
1890(明治23)年	赤沢鍾美が新潟静修学校に託児所併設、のちに守孤扶独幼稚児保護会に発展	日本人による最初の本格的な託児所
1900(明治33)年	野口幽香らが二葉幼稚園を開設	貧しい家庭の子どもを対象に無料で保育
1926(大正15)年	「幼稚園令」公布	初の幼稚園に関する単独の勅令
1948(昭和23)年	「保育要領 ― 幼児教育の手引き」発行	幼稚園・保育所・家庭に共通の手引き書
1963(昭和38)年	「幼稚園と保育所との関係について」の通知	文部省・厚生省の連名
1965(昭和40)年	「保育所保育指針」通知	厚生省局長通知
2008(平成20)年	1990年、1999年の2回の改定を経て「保育所保育指針」への改定、告示化	告示となり法的拘束力を持つ
2014(平成26)年	「幼保連携型認定こども園教育・保育要領」告示	認定こども園の、教育及び保育の内容を策定したもの
2017(平成29)年	「保育所保育指針」改定・告示、「幼稚園教育要領」改訂・告示、「幼保連携型認定こども園教育・保育要領」改訂・告示	「育みたい資質・能力」や「幼児期の終わりまでに育ってほしい姿」などが盛り込まれる

Lesson 1

保育の理念と概念

問1 2023（令和5）年「こどもまんなか社会」の実現に向けてこども家庭庁がスタートした。同時に、こども施策を推進するため「こども基本法」が施行された。

問2 「こども大綱」は、全てのこども、若者が幸せに生活できる「こどもまんなか社会」の実現を目指し、具体的な基本方針が示されている。

問3 保育所の特性は、子どもの状況や発達過程を踏まえ、保育所における遊びを通して、養護及び教育を一体的に行うことである。

でる 問4 保育所は、入所する子どもの最善の利益を考慮し、その権利を積極的に増進することに最もふさわしい環境でなければならない。

でる 問5 2021（令和3）年4月から幼稚園、保育所、認定こども園等を利用する3歳から5歳までの全ての子どもの利用料が無償となった。

でる 問6 「児童の権利に関する条約」は、大きく4つの柱を中心に構成されている。

問7 「児童の権利に関する条約」は、国際連合が1951（昭和26）年に採択し、前文で「児童は人として尊ばれ、社会の一員として重んぜられる」としている。

答1 ○

「こども基本法」は、こども施策を社会全体で総合的に推進していくための法律である。

答2 ○

「こども大綱」の基本方針として、こども、若者は権利の主体であることや、ライフステージに応じて切れ目なく支援することなど、6つのポイントが示されている。

答3 ×

保育所における環境を通して、養護及び教育を一体的に行うことである。

答4 ×

保育所保育指針の保育所の役割より、子どもの最善の利益を考慮しその福祉を積極的に増進することに最もふさわしい生活の場でなければならない。

答5 ×

2019（令和元）年10月から3～5歳までの無償化がスタートした。0～2歳までの子どもは、住民税非課税世帯を対象として利用料が無償となった。

答6 ○

「児童の権利に関する条約」は、生きる権利、育つ権利、守られる権利、参加する権利の4つの権利を中心に構成されている。

答7 ×

日本で1951年5月5日に宣言された「児童憲章」の前文の記述である。「児童の権利に関する条約」は、1989（平成元）年に国際連合が採択し、日本は1994（平成6）年に批准した。

Lesson 2

保育の社会的意義と法制度

でる

問1 保育所保育指針には、保育所に入所している子どもの就学に際し、子どもの育ちを支える資料を小学校へ送付するよう記されている。

でる

問2 保育所は、地域の住民に対し情報の提供を行い、保育に支障がない範囲で乳幼児等の保育に関する相談に応じ、助言に努めなければならない。

問3 保育所における子育て支援は、保護者の子育ての負担感を軽減するために、保護者の立場を優先して行われるべきである。

でる

問4 地域型保育事業における「小規模保育事業」は、3歳以上児の保育枠を拡充するための役割を担っている。

問5 児童福祉法では、児童が健やかに養育されるために、国や地方公共団体による保護者への支援が求められている。

問6 児童福祉法では、満15歳に満たない者を児童とし、2歳未満を乳児、2歳から就学前を幼児、就学から15歳までを少年としている。

でる

問7 2015（平成27）年に開始された「子ども・子育て支援新制度」では、保育の必要性に応じ1～3号認定の区分が設けられた。

答1 ○

保育所は保育所児童保育要録、幼稚園は幼稚園幼児指導要録、幼保連携型認定こども園は幼保連携型認定こども園園児指導要録を小学校へ送付する。

答2 ○

児童福祉法第48条の4や保育所保育指針第4章3に地域の保護者等に対する子育て支援を行い、地域に開かれた保育所としての存在が求められている。

答3 ×

保育所における子育て支援は、保育所の特性を生かし、子どもの最善の利益を念頭におきながら、保護者の養育力向上につながるよう努力することが求められている。

答4 ×

地域型保育事業は、小規模保育、家庭的保育、事業所内保育、居宅訪問型保育の4つに分類され、0～2歳児の保育を拡充するため設けられた。

答5 ○

2016（平成28）年6月3日より第3条の2が追加され、家庭における児童の心身ともに健やかな養育のため、国及び地方公共団体による児童の保護者への支援の必要性が示されている。

答6 ×

児童福祉法によると、児童は満18歳に満たない者とし、満1歳未満を乳児、就学前までを幼児、就学から18歳までを少年とする。

答7 ○

施設型給付（認定こども園・保育所・幼稚園）と地域型保育給付（小規模保育・家庭的保育・居宅訪問型保育など）に分け、財政支援を簡素化した。

Lesson 3
保育の基本と環境

でる **問1** 一人一人の子どもの状況を把握するとともに、子どもが安心感と信頼感をもって活動できるよう、子どもの思いや願いを受け止めることが大切である。

問2 子どもの生活のリズムが身につくよう、しつけをしなければならない。

問3 「児童福祉施設の設備及び運営に関する基準」によると、保育所の職員配置基準は、3歳以上児で、職員1人あたり35人以下と規定されている。

でる **問4** 子どもの活動が豊かに展開されるよう、保育所の設備や環境を整え、保育所の保健的環境や安全の確保に努めなければならない。

でる **問5** 保育所は、子どもの人権に配慮し、子ども一人一人の人権を尊重して保育を行う。

でる **問6** 幼児教育を行う施設においては、生涯にわたる生きる力の基礎を培うため、3つの資質・能力を一体的に育むように努めている。

でる **問7** 保育所保育指針の養護に関する基本的事項（2）イ情緒の安定（ア）ねらいは、「一人一人の子どもの生理的欲求が、十分に満たされるようにする。」である。

1回目 /7点　　2回目 /7点

答1 ○
保育士等は、家庭や地域社会での生活と保育所での生活の連続性に配慮するとともに、子どもを一人の人として尊重しながら接する必要がある。

答2 ×
一人一人の生活リズムを大切にしながら、他の子どもたちとともに生活や遊びが充実する中で、次第に生活リズムが形成されていくことが望ましい。

答3 ×
保育所の職員配置基準は、乳児おおむね3人、1〜2歳児おおむね6人、3歳児おおむね15人、4〜5歳児おおむね25人に対して、それぞれ1人以上の配置が必要である。

答4 ○
子どもは、安心感や信頼感が得られる環境の下で、十分に自己発揮することで成長していく。そうした活動が豊かに展開されるよう、子どもの健康と安全に十分配慮する必要がある。

答5 ○
保育士等は、子どもの人権を守るために、憲法、児童福祉法、児童の権利に関する条約などをふまえ、子どもの人権について理解する必要がある。

答6 ○
「知識及び技能の基礎」「思考力、判断力、表現力等の基礎」「学びに向かう力、人間性等」の3つの資質・能力を掲げている。

答7 ×
養護に関する基本的事項（2）ア生命の保持（ア）ねらい③である。保育は生命の保持と情緒の安定という養護と教育を一体的に行うことを特性としている。

Lesson 4
子どもの発達と保育の内容（1）

でる
問1 保育所保育指針第2章「保育の内容」には、主に教育に関わるものとして、各時期の保育の意図が示されている。

問2 1歳以上3歳未満児の保育において新入園児がぬいぐるみを抱え泣いて登園する場合でも、きまりを重んじぬいぐるみは片づけさせる。

でる
問3 1歳以上3歳未満児の保育においては、探索活動が盛んになってくることから、自発的な活動を尊重する関わりが大切となる。

でる
問4 乳児期は、子どもにとって安全基地となる特定の大人との信頼関係を基に、世界を広げる時期である。

問5 乳児又は満2歳に満たない幼児を入所させる保育所には、乳児室、医務室、調理室を設けることとされている。

問6 3歳以上児の領域「健康」における内容に、「衣服の着脱、食事、排泄などの生活に必要な活動を自分でする」とあるので、しっかりとしつけをしなければならない。

問7 3歳以上児の保育では、自我の成長を重んじることから他者との折り合いをつける経験まではさせなくてよい。

1回目 /7点　2回目 /7点

答1 ○

第2章には、各時期の保育について、「基本的事項」「ねらい及び内容」「保育の実施に関わる配慮事項」が示されている。

答2 ×

子どもの生活の安定を図りながら、自分でしようとする気持ちを尊重し、温かく見守るとともに、愛情豊かに、応答的に関わることが必要である。

答3 ○

自我が形成され、探索活動が盛んになるため事故防止に努める必要がある。一方で欲求を十分満たすような環境設定や全身を使う遊びも大切となる。

答4 ○

乳児期は、安全が保障され、安心して過ごせる環境の下、愛情に満ちた応答的な関わりをすることが大切である。

答5 ×

乳児室又はほふく室、便所も設けなければならない。児童福祉施設の設備及び運営に関する基準第32条1に規定されている。

答6 ×

基本的生活習慣を身につけるためのしつけは大切だが、保育士等との温かな関係の中で、子どもが自分でやってみようとする気持ちや意欲も育つように支援することが大切である。

答7 ×

集団の生活を通して、互いに思いを主張し、折り合いをつける体験や自分の気持ちを調整する力が育つように働きかける必要がある。

Lesson 5

子どもの発達と保育の内容（2）

でる
問1
「幼児期の終わりまでに育ってほしい姿」は、保育者等が指導を行う際の到達目標として達成しなければならないものである。

でる
問2
乳児期の発達については、様々な大人との関わりを通じて、情緒的な絆が形成されるといった特徴がある。

でる
問3
乳児保育に関わるねらい及び内容は、身体的発達、社会的発達の2つの視点を基に構成されている。

問4
乳児の「保育の実施に関わる配慮事項」には、職員間、嘱託医や栄養士、看護師等との連携や保護者への支援の重要性が示されている。

問5
「幼児期の終わりまでに育ってほしい姿」が確実に育つように、ひとつひとつの内容について、身についたかどうか確認しながら保育をする必要がある。

でる
問6
3歳以上児の保育では、規範意識を高めるために、集団行動がとれるよう指導するとよい。

問7
午睡は生活のリズムを構成する重要な要素であることから、保育所の在園児は一律に決められた時間で午睡をすることがよい。

答1 ×

「幼児期の終わりまでに育ってほしい姿」は、10の姿から構成されており、保育士等が指導を行う際に考慮するものである。

答2 ×

様々な大人ではなく、特定の大人との応答的な関わりによって情緒的な絆（愛着）が形成される。

答3 ×

身体的発達「健やかに伸び伸びと育つ」、社会的発達「身近な人と気持ちが通じ合う」、精神的発達「身近なものと関わり感性が育つ」の3つである。

答4 ○

担当の保育士が替わる場合には、子どものそれまでの生育歴や発達過程に留意し、職員間で協力して対応すること等も示されている。

答5 ×

「幼児期の終わりまでに育ってほしい姿」を念頭に置いて保育をする必要はあるが、それは個別にとり出して指導すべきことではないことを理解しなければならない。

答6 ×

一人一人が安心して自己を発揮し、ありのままの姿が認められるような集団の中で個の力が伸びるようなクラス集団のあり方を考えることが大切である。

答7 ×

保育所保育指針に、「在園時間が異なることや、睡眠時間は子どもの発達状況や個人によって差があるため、一律とならないよう配慮する」とある。

Lesson 6

保育士の専門性

問1 保育所職員は、高い専門性が求められており、人間性は特に求められてはいない。

問2 保護者からの相談内容がクラスに関わる問題であるときは、保護者の了解を得ずに懇談会の議題に取り上げても構わない。

でる 問3 保育者は自然災害等に備え、日頃から保護者や地域との連携を構築しておく必要がある。

でる 問4 保育士等の言動は、子どもに大きな影響を与えるため、保育士の専門性として高い倫理観が求められる。

でる 問5 全国保育士会倫理綱領には、保育者のチームワークの重要性が掲げられている。

でる 問6 保育所保育指針は、2008（平成20）年の改定から「保護者に対する支援」の章が加わり、保護者支援の重要性が高まってきている。

問7 保育士には、子どもと保護者の関わりを見守り、その気持ちに寄り添いながら援助を行うことが求められる。

答1 ×

子どもの最善の利益を考慮し、人権に配慮した保育を行うために、職員一人一人の倫理観や人間性が求められる。

答2 ×

保育士には、プライバシーの保護、知り得た事柄の秘密保持義務があり、相談者の了解を得る必要がある。

答3 ○

日頃から保護者との密接な連携に努め、連絡体制や引渡し方法等について確認することが保育所保育指針に示されている。

答4 ○

保育士が持つべき倫理観として、全国保育士会から全国保育士会倫理綱領が示されている。

答5 ○

倫理綱領には、全 8 つの内容が掲げられている。保育実践においては、子どもの情報の引き継ぎや保育者間の連携が重要となる。

答6 ○

2008（平成20）年告示の保育所保育指針から「保護者に対する支援」の章が明記され、さらに2017（平成29）年告示では、同章を「子育て支援」に改め、いっそうの充実が図られた。

答7 ○

保育士には、子ども同士だけでなく子どもと保護者の関わりに対しても、見守りながら適宜必要な援助をしていく関係構築の技術が求められる。

Lesson 7 保育の目標

問1 保育所保育は、子どもの現在が充実するだけでなく、長期的視野をもって未来も見据えて行われる。

問2 保育所保育の目標のうち、子どもの教育に関することは、学校教育法（昭和22年法律第26号）に示されている、幼稚園のみの目標と共通である。

問3 保育所での子どもの保育に関する目標は、5つの領域に関して述べている。

でる
問4 保育所保育は、子どもの保育に関することだけでなく、保護者支援をすることも重要な目標となっている。

でる
問5 保育所での子育て支援は、保護者の子育ての負担軽減のため利便性を重視すべきである。

でる
問6 子どもの教育に関わる目標は、子どもが自発的・意欲的に環境に関わり、夢中になって取り組むような体験を通して達成されていく。

でる
問7 保育の目標を達成するためには、子どもの主体的な遊びや生活を重視するため、保育の計画性はあまり重要ではない。

1回目　/7点　2回目　/7点

答1 ○

保育所保育指針「保育の目標」に、保育所保育は、「子どもが**現在**を最も良く生き、望ましい**未来**をつくり出す力の基礎を培う」とある。

答2 ×

幼稚園だけでなく、**幼保連携型認定こども園**の教育および保育の目標とも共通である。

答3 ×

保育所での子どもの保育に関する目標は、**養護**に関わるものと**教育**に関わる５領域について示されており、全部で６つの側面から述べている。

答4 ○

家庭と園が**連携**し、子どもの健やかな成長を支えたり、子どもと保護者の関係の育ちや安定につながったりするよう、園が**保護者支援**を行うことも重要な役割となっている。

答5 ×

保護者支援は、子どもの保育と関連して行われるものであり、常に**子どもの最善の利益**を考慮すべきである。

答6 ○

保育所保育は、**養護**を基盤として、さらに子どもの**遊びや生活**が充実することによって**総合的**に発達を促す営みである。

答7 ×

子どもの主体性を重視するということは、ただ自由にさせるということではない。**計画・実践・省察・改善**という**循環的**な保育が重要である。

Lesson 8
保育の実際

でる
問1 指導計画は、子どもの発達を促すために保育士等が良いと考える活動を中心にして作成する。

でる
問2 2017（平成29）年告示の保育所保育指針は、乳児から2歳児までの発達が極めて重要であることをふまえ、この時期の保育に関する記載が充実している。

問3 乳児期からの食習慣の形成が大切なので、姿勢やスプーンの持ち方、好き嫌いに対しては、習慣を身につけさせることを優先させる。

問4 3歳以上児の保育では、個の成長とともに集団の育ちも重視される。

でる
問5 小学校教育との接続が円滑に行えるよう、幼児期の終わりまでに確実に数を数えたり、文字を読んだり書けるようになることが好ましい。

でる
問6 障害のある子どもの保育については、家庭や関係機関と連携した支援のための計画を個別に作成するなどの対応を図るとされている。

でる
問7 小学校との連携においては、小学校教師との意見交換や合同の研究の機会などを設けることも、円滑な接続に重要とされている。

1回目 /7点　2回目 /7点

答1 ×
指導計画は、子どもの生活の連続性や季節の変化、個人差に配慮しながら子どもの実態の把握を基に、発達過程を見通して作成する。

答2 ○
心身の発達の基礎が形成される重要な時期にある乳児・1歳以上3歳未満児の保育の意義を明確化し、内容の充実が図られている。

答3 ×
乳児期からの食習慣の形成は重要ではあるが、食べる喜びや楽しさを味わい、進んで食べようとする気持ちが育つように援助することが大切である。

答4 ○
3歳以上児の保育では、個を大切にする保育を基盤としながら、他者とのかかわりによって育つものも重視される。

答5 ×
幼児期は、数量や文字の習熟ではなく、日常生活の中でそれらに対する興味や関心を広げ、感覚が養われることを大切にする。

答6 ○
一人一人の子どもの発達過程や障害の状態を把握し、障害のある子どもが他の子どもとの生活を共にして成長できるよう指導計画に位置付けなければならない。

答7 ○
「幼児期の終わりまでに育ってほしい姿」や育まれた資質・能力を踏まえ、保育所保育と小学校教育との円滑な接続を図ることが重要とされている。

Lesson 9

諸外国の保育の思想と歴史

でる 問1

フランスの啓蒙思想家であるルソーは、『エミール』『社会契約論』『人間不平等起源論』を著し、近代教育思想に大きな影響を与えた。

でる 問2

コメニウスは、ルソーよりも100年程前に幼児期の重要性について説き、『母親学校の指針』において家庭教育の重要性を示した。

でる 問3

ドイツの教育思想家フレーベルは、幼児の遊びを育む道具である「恩物」を考案し、1840年に世界初の幼稚園を創設した。

問4

イギリスで「社会運動の父」と呼ばれたオーエンは、自身の工場内に「性格形成学院」を設立し、現在の保育の形態にも影響を与えた。

でる 問5

スイスで貧民の子どものために教育を施したクルプスカヤは、その実践記録として『隠者の夕暮』などを記している。

でる 問6

モンテッソーリは、障害児教育の先駆者とされており、「子どもの家」を創設した。また、『子どもの発見』『幼児の秘密』『子どもの心—吸収する心』などを著した。

でる 問7

ポーランドの小児科医で児童作家のオーベルランは、『子どもの権利の尊重』を記し、子どもの権利論者として評価された。

答1 ○

ルソーは、「子どもの発見者」とも称され、子どもの持つ善性を活かした消極教育を提唱した。

答2 ○

コメニウスは、ルソーよりも100年以上も前に生まれ、乳幼児期の教育の重要性を唱えている。著書に『大教授学』『世界図絵』がある。

答3 ○

フレーベルは、「遊びの発見者」とも称され、遊びの重要性を唱えて、世界初の幼稚園「キンダーガルテン（kindergarten）」を設立した。

答4 ○

10歳未満の子どもを労働から保護し、6歳よりも小さい子どもを対象とした「幼児学校」も設立された。

答5 ×

ペスタロッチの記述である。クルプスカヤは、ロシアにおいて、労働者の子どもたちのための無料の保育所や幼稚園の開設に尽力し、『国民教育と民主主義』などを記した。

答6 ○

幼児期を敏感期として捉え、独自の教育方法を見出した。この教育方法は現代においてもモンテッソーリ・メソッドとして広く実践されている。

答7 ×

ヤヌシュ・コルチャックの記述である。オーベルランは、フランスの牧師で、世界初の保育施設をフランスに創設した。

Lesson 10
日本の保育の思想と歴史

でる

問1 1894（明治27）年、筧雄平の指導で東京紡績株式会社内に保育所を設立し、日本初の企業内託児所が誕生した。

問2 1890（明治23）年、新潟静修学校では、学校に通う生徒が連れてくる弟妹を預かる施設を付設し、これが託児所の始まりとなった。

でる

問3 日本で最初の幼稚園は、1900（明治33）年に野口幽香、森島峰らによって作られた二葉幼稚園である。

でる

問4 二葉保育園の「大黒柱」と呼ばれた徳永恕は、分園設立に貢献して、関東大震災や戦災からの復興にも尽力し、社会事業の発展に寄与した。

でる

問5 1917（大正6）年に東京女子師範学校附属幼稚園主事に就任した城戸幡太郎は、ドイツのフレーベルの精神に基づいた保育を進めた。

問6 大正期、アメリカのデューイが提唱した児童中心主義に影響を受け、日本でも新教育運動が広がった。

問7 東基吉は1904（明治 37）年『幼稚園保育法』を著した。保育の体系化を図り、あそびの重要性を唱えている。

答1 ×

筧雄平は、1890（明治23）年、鳥取の農村に農作業が忙しい期間のみ開設される、季節託児所「農繁期託児所」を設立した。

答2 ○

赤沢鍾美により開設され、やがて働く母親の子どもも預かるようになり、後に「守孤扶独幼稚児保護会」と命名された。

答3 ×

日本最初の幼稚園は1876（明治9）年の東京女子師範学校附属幼稚園。監事に関信三、主任保姆に松野クララ、保姆に豊田芙雄、近藤濱が就任した。

答4 ○

二葉幼稚園は、1900（明治33）年野口幽香、森島峰によってはじめられ、貧民の子女を対象としていた点にも特徴がある。大正期に二葉保育園となる。

答5 ×

倉橋惣三の記述である。城戸幡太郎は倉橋の児童中心主義とは異なる、社会協力の精神の重要性を説き、保育問題研究会を設立した。

答6 ○

デューイは、教師中心の教え込み教育を批判し、子ども自身の経験を重視した。著書に『学校と社会』『民主主義と教育』等がある。

答7 ○

これまでのしつけや作法を主とする保育から、子どもの育ちに合った教材や遊戯に着目したことは現代においても大切な視点である。

Lesson 11 保育の現状と課題

でる 問1 2023（令和5）年4月「こどもまんなか社会」の実現に向けて、厚生労働省がリーダーシップをとることになった。

でる 問2 2023（令和5）年に施行された「こども基本法」は、日本国憲法の精神のみにのっとっている。

でる 問3 少子化や核家族化、共働き家庭の増加等、様々な社会的課題が、子育てに対する不安や負担感に影響している。

でる 問4 「子ども・子育て支援新制度」における3つの認定区分では、1号認定は保育所を、2・3号認定は地域型保育事業を利用できる。

問5 男女雇用機会均等法では、家庭を営む男女が、ともに仕事と家事・育児の両立ができる社会の創出を目指している。

問6 地域子ども・子育て支援事業におけるファミリー・サポート・センター事業は、地域の実情に応じた子育て支援のニーズが高まっている。

問7 保育者の質の向上のため、保育所においては、体系的な研修計画を作成しなければならない。

答1 ×

「こどもまんなか社会」の実現に向けて、新たにこども家庭庁がスタートした。したがって、厚生労働省ではなくこども家庭庁である。

答2 ×

「こども基本法」は、日本国憲法および児童の権利に関する条約（通称子どもの権利条約）にのっとっている。

答3 ◯

保育所は、保育所を利用している保護者だけでなく、保育に支障をきたさない範囲で地域の保護者等に対する子育て支援も行っている。

答4 ×

幼稚園は1号認定、保育所は2･3号認定、地域型保育事業は3号認定が原則利用できる。認定こども園は、すべての子どもが利用できる。

答5 ×

家庭を営む男女の仕事と家事・育児の両立を掲げているのは、1999（平成11）年に成立した男女共同参画社会基本法である。

答6 ◯

ファミリー・サポート・センター事業では、依頼（援助を受けたい）会員に対する提供（援助を提供できる）会員が不足していることが課題である。

答7 ◯

保育における課題や各職員のキャリアパス等も見据えて、職位や職務内容を踏まえた体系的な研修計画を作成しなければならない。

Lesson 12

保育所保育指針（1）

穴埋め問題

でる
問1

保育所は、児童福祉法（昭和22年法律第164号）第39条の規定に基づき、保育を必要とする子どもの保育を行い、その健全な心身の発達を図ることを目的とする児童福祉施設である。

指針 1章総則－1保育所保育に関する基本原則（1）－ア

でる
問2

保育所は、その目的を達成するために、保育に関する専門性を有する職員が、家庭との緊密な連携の下に、子どもの状況や発達過程を踏まえ、保育所における環境を通して、養護及び教育を一体的に行うことを特性としている。

指針 1章総則－1保育所保育に関する基本原則（1）－イ

でる
問3

保育所は、家庭や地域の様々な社会資源との連携を図りながら、保護者に対する支援及び地域の子育て家庭に対する支援等を行う役割を担っている。

指針 1章総則－1保育所保育に関する基本原則（1）－ウ

でる
問4

十分に養護の行き届いた環境の下に、くつろいだ雰囲気の中で子どもの様々な欲求を満たし、生命の保持及び情緒の安定を図ること。

指針 1章総則－1保育所保育に関する基本原則（2）－ア（ア）

でる
問5

人との関わりの中で、人に対する愛情と信頼感、そして人権を大切にする心を育てるとともに、自主、自立及び協調の態度を養い、道徳性の芽生えを培うこと。

指針 1章総則－1保育所保育に関する基本原則（2）－ア（ウ）

問6 生命、自然及び社会の事象についての興味や関心を育て、それらに対する豊かな心情や思考力の芽生えを培うこと。

指針 1章総則－1保育所保育に関する基本原則（2）－ア（エ）

問7 保育所は、入所する子どもの保護者に対し、その意向を受け止め、子どもと保護者の安定した関係に配慮し、保育所の特性や保育士等の専門性を生かして、その援助に当たらなければならない。

指針 1章総則－1保育所保育に関する基本原則（2）－イ

でる 問8 子どもの発達について理解し、一人一人の発達過程に応じて保育すること。その際、子どもの個人差に十分配慮すること。

指針 1章総則－1保育所保育に関する基本原則（3）－ウ

でる 問9 一人一人の保護者の状況やその意向を理解、受容し、それぞれの親子関係や家庭生活等に配慮しながら、様々な機会をとらえ、適切に援助すること。

指針 1章総則－1保育所保育に関する基本原則（3）－カ

Lesson 13 保育所保育指針（2）

穴埋め問題

問1 子ども自らが環境に関わり、自発的に活動し、様々な経験を積んでいくことができるよう配慮すること。

指針 1章総則－1保育所保育に関する基本原則（4）－ア

問2 子どもの活動が豊かに展開されるよう、保育所の設備や環境を整え、保育所の保健的環境や安全の確保などに努めること。

指針 1章総則－1保育所保育に関する基本原則（4）－イ

でる

問3 保育所は、子どもの人権に十分配慮するとともに、子ども一人一人の人格を尊重して保育を行わなければならない。

指針 1章総則－1保育所保育に関する基本原則（5）－ア

問4 一人一人の子どもの平常の健康状態や発育及び発達状態を的確に把握し、異常を感じる場合は、速やかに適切に対応する。

指針 1章総則－2養護に関する基本的事項（2）－ア（イ）①

問5 家庭との連携を密にし、嘱託医等との連携を図りながら、子どもの疾病や事故防止に関する認識を深め、保健的で安全な保育環境の維持及び向上に努める。

指針 1章総則－2養護に関する基本的事項（2）－ア（イ）②

でる **問6**

乳児期の発達については、視覚、聴覚などの感覚や、座る、はう、歩くなどの運動機能が著しく発達し、特定の大人との応答的な関わりを通じて、情緒的な絆が形成されるといった特徴がある。

指針 **2章保育の内容－1乳児保育に関わるねらい及び内容（1）－ア**

でる **問7**

乳児保育においては、受容的・応答的な関わりの下で、何かを伝えようとする意欲や身近な大人との信頼関係を育て、人と関わる力の基盤を培うことが大切である。

指針 **2章保育の内容－1乳児保育に関わるねらい及び内容（2）－イ**

でる **問8**

乳児は疾病への抵抗力が弱く、心身の機能の未熟さに伴う疾病の発生が多いことから、一人一人の発育及び発達状態や健康状態についての適切な判断に基づく保健的な対応を行うこと。

指針 **2章保育の内容－1乳児保育に関わるねらい及び内容（3）－ア**

でる **問9**

乳児保育においては、一人一人の子どもの生育歴の違いに留意しつつ、欲求を適切に満たし、特定の保育士が応答的に関わるように努めること。

指針 **2章保育の内容－1乳児保育に関わるねらい及び内容（3）－イ**

Lesson 14

保育所保育指針（3）

穴埋め問題

でる

問1

一人一人の子どもの気持ちを受容し、共感しながら、子どもとの継続的な信頼関係を築いていく。

指針 1章総則－2養護に関する基本的事項（2）－イ（イ）②

問2

一人一人の子どもの生活のリズム、発達過程、保育時間などに応じて、活動内容のバランスや調和を図りながら、適切な食事や休息が取れるようにする。

指針 1章総則－2養護に関する基本的事項（2）－イ（イ）④

でる

問3

一日の生活のリズムや在園時間が異なる子どもが共に過ごすことを踏まえ、活動と休息、緊張感と解放感等の調和を図るよう配慮すること。

指針 1章総則－3保育の計画及び評価（2）－エ

でる

問4

障害のある子どもの保育については、一人一人の子どもの発達過程や障害の状態を把握し、適切な環境の下で、障害のある子どもが他の子どもとの生活を通して共に成長できるよう、指導計画の中に位置付けること。

指針 1章総則－3保育の計画及び評価（2）－キ

でる

問5

子どもが探索意欲を満たして自由に遊べるよう、身の回りのものについては、常に十分な点検を行うこと。

指針 2章保育の内容－1乳児保育に関わるねらい及び内容（2）－ウ（ウ）①

でる 問6 周囲の様々な環境に好奇心や探究心をもって関わり、それらを生活に取り入れていこうとする力を養う。

指針 2章保育の内容－2 1歳以上3歳未満児の保育に関わるねらい及び内容（2）－ウ

問7 自我が形成され、子どもが自分の感情や気持ちに気付くようになる重要な時期であることに鑑み、情緒の安定を図りながら、子どもの自発的な活動を尊重するとともに促していくこと。

指針 2章保育の内容－2 1歳以上3歳未満児の保育に関わるねらい及び内容（3）－ウ

でる 問8 子どもの性差や個人差にも留意しつつ、性別などによる固定的な意識を植え付けることがないようにすること。

指針 2章保育の内容－4保育の実施に関して留意すべき事項（1）－カ

でる 問9 保育所保育が、小学校以降の生活や学習の基盤の育成につながることに配慮し、幼児期にふさわしい生活を通じて、創造的な思考や主体的な生活態度などの基礎を培うようにすること。

指針 2章保育の内容－4保育の実施に関して留意すべき事項（2）－ア

Lesson 15

保育所保育指針（4）

穴埋め問題

でる 問1

豊かな体験を通じて、感じたり、気付いたり、分かったり、できるようになったりする「知識及び技能の基礎」を育むよう努めるものとする。

指針 1章総則－4幼児教育を行う施設として共有すべき事項（1）－ア（ア）

でる 問2

気付いたことや、できるようになったことなどを使い、考えたり、試したり、工夫したり、表現したりする「思考力、判断力、表現力等の基礎」を育むよう努めるものとする。

指針 1章総則－4幼児教育を行う施設として共有すべき事項（1）－ア（イ）

でる 問3

心情、意欲、態度が育つ中で、よりよい生活を営もうとする「学びに向かう力、人間性等」を育むよう努めるものとする。

指針 1章総則－4幼児教育を行う施設として共有すべき事項（1）－ア（ウ）

問4

1歳以上3歳未満は、特に感染症にかかりやすい時期であるので、体の状態、機嫌、食欲などの日常の状態の観察を十分に行うとともに、適切な判断に基づく保健的な対応を心がけること。

指針 2章保育の内容－2 1歳以上3歳未満児の保育に関わるねらい及び内容（3）－ア

問5

乳幼児期にふさわしい食生活が展開され、適切な援助が行われるよう、食事の提供を含む食育計画を全体的な計画に基づいて作成し、その評価及び改善に努めること。

指針 3章健康及び安全－2食育の推進（1）－ウ

でる **問6** 保育中の事故防止のために、子どもの心身の状態等を踏まえつつ、施設内外の安全点検に努め、安全対策のために全職員の共通理解や体制づくりを図る。

指針 3章健康及び安全－3環境及び衛生管理並びに安全管理（2）－ア

でる **問7** 子どもの利益に反しない限りにおいて、保護者や子どものプライバシーを保護し、知り得た事柄の秘密を保持すること。

指針 4章子育て支援－1保育所における子育て支援に関する基本的事項（2）－イ

問8 日常の保育に関連した様々な機会を活用し子どもの日々の様子の伝達や収集、保育所保育の意図の説明などを通じて、保護者との相互理解を図るよう努めること。

指針 4章子育て支援－2保育所を利用している保護者に対する子育て支援（1）－ア

問9 子どもに障害や発達上の課題が見られる場合には、市町村や関係機関と連携及び協力を図りつつ、保護者に対する個別の支援を行うよう努めること。

指針 4章子育て支援－2保育所を利用している保護者に対する子育て支援（2）－イ

Lesson 16 関係法令等

穴埋め問題

でる 問1

この法律は、日本国憲法及び児童の権利に関する条約の精神にのっとり、次代の社会を担う全てのこどもが、生涯にわたる人格形成の基礎を築き、自立した個人としてひとしく健やかに成長することができ、心身の状況、置かれている環境等にかかわらず、その権利の擁護が図られ、将来にわたって幸福な生活を送ることができる社会の実現を目指す。

法律 こども基本法（令和4年法律77号） 1条

問2

児童の親権を行う者は、児童のしつけに際して、児童の人格を尊重するとともに、その年齢及び発達の程度に配慮しなければならず、かつ、体罰その他の児童の心身の健全な発達に有害な影響を及ぼす言動をしてはならない。

法律 児童虐待の防止等に関する法律　14条1項

でる 問3

地域子育て支援拠点事業とは、内閣府令で定めるところにより、乳児又は幼児及びその保護者が相互の交流を行う場所を開設し、子育てについての相談、情報の提供、助言その他の援助を行う事業をいう。

法律 児童福祉法　6条の3 6項

でる 問4

保育士の守秘義務の規定に違反した者は、1年以下の懲役又は50万円以下の罰金に処する。

法律 児童福祉法　61条の2

条約 ＝児童の権利に関する条約

問5 教育は、人格の完成を目指し、平和で民主的な国家及び社会の形成者として必要な資質を備えた心身ともに健康な国民の育成を期して行われなければならない。

法律 **教育基本法　1条**

でる 問6 保育所は、保育を必要とする乳児・幼児を日々保護者の下から通わせて保育を行うことを目的とする施設（利用定員が二十人以上であるものに限り、幼保連携型認定こども園を除く。）とする。

法律 **児童福祉法　39条1項**

問7 締約国は、児童の生存及び発達を可能な最大限の範囲において確保する。

条約 **6条2項**

でる 問8 締約国は、自己の意見を形成する能力のある児童がその児童に影響を及ぼすすべての事項について自由に自己の意見を表明する権利を確保する。

条約 **12条1項**

問9 締約国は、精神的又は身体的な障害を有する児童が、その尊厳を確保し、自立を促進し及び社会への積極的な参加を容易にする条件の下で十分かつ相応な生活を享受すべきであることを認める。

条約 **23条1項**

覚えたかな？ ここでCheck！

まずはそのまま、次は赤シートで隠して、色字のキーワードを確認しよう。

- □ **1** 2023（令和5）年4月「こどもまんなか社会」の実現に向けてこども家庭庁がスタートし、同時に「こども基本法」が施行された。

- □ **2**「児童の権利に関する条約」は、国際連合が1989（平成元）年に採択し、日本は1994（平成6）年に批准した。

- □ **3** 乳児保育は、信頼関係や情緒の安定に配慮し、特定の保育士が応答的に関わるよう努める。

- □ **4** 保育士は、高い倫理観が求められる職業であり、「全国保育士会倫理綱領」が示されている。

- □ **5** 倉橋惣三は、児童中心主義の保育思想をもち、自身の実践や研究から誘導保育論の理論を考案した。

- □ **6** 保育所は、家庭や地域の様々な社会資源との連携を図りながら、保護者に対する支援及び地域の子育て家庭に対する支援等を行う役割を担っている。

3章

子ども家庭福祉

子ども家庭福祉の歴史を理解し、児童福祉施設の種類や対象などを把握しましょう。また、児童福祉法や関連法令の目的や定義をチェックして、現代の子どもを取り巻く多様な社会、家庭生活の実態を把握することも大切です。

子ども家庭福祉の重要ポイント

Point ① 子ども等の定義

児童福祉法による児童等の定義

児　　童	満18歳に満たない者
乳　　児	満1歳に満たない者
幼　　児	満1歳から小学校就学の始期に達するまでの者
少　　年	小学校就学の始期から満18歳に達するまでの者
妊産婦	妊娠中または出産後1年以内の女子
保護者	親権を行う者、児童を現に監護する者

少年法による非行少年等の定義

少　　年	20歳に満たない者
犯罪少年	14歳以上で犯罪を行った少年
触法少年	14歳に満たないで、刑罰法令に触れる行為をした少年
虞《ぐ》犯《はん》少年	その性格等に照らして、将来犯罪や刑罰法令に触れる行為を行うおそれのある少年
特定少年	刑罰法令に触れる行為をした18歳、19歳の少年

Point ② 児童福祉法

第1条　全て児童は、児童の権利に関する条約の精神にのつとり、適切に養育されること、その生活を保障されること、愛され、保護されること、その心身の健やかな成長及び発達並びにその自立が図られることその他の福祉を等しく保障される権利を有する。

第2条　全て国民は、児童が良好な環境において生まれ、かつ、社会のあらゆる分野において、児童の年齢及び発達の程度に応じて、その意見が尊重され、その最善の利益が優先して考慮され、心身ともに健やかに育成されるよう努めなければならない。

2　児童の保護者は、児童を心身ともに健やかに育成することについて第一義的責任を負う。

3　国及び地方公共団体は、児童の保護者とともに、児童を心身ともに健やかに育成する責任を負う。

Point 3 児童福祉施設の種類

施設名	対象・目的
助産施設	経済的理由で入院助産を受けられない妊産婦を入所させ助産を受けさせる。
乳児院	乳児（特に必要な場合、幼児も含む）を入院させて養育し、退院した者について相談その他の援助を行う。
母子生活支援施設	配偶者のない女子またはそれに準ずる事情にある女子及びその者の監護すべき児童を入所させ保護・支援し、退所した者の相談・援助を行う。
保育所	保育を必要とする乳児・幼児を日々保護者の下から通わせて保育を行う。
幼保連携型認定こども園	幼稚園的機能と保育所的機能の両方をあわせ持つ単一の施設として、認定こども園としての機能を果たす。
児童養護施設	保護者のいない児童、虐待されている児童等を入所させて養護し、退所した者の相談・援助を行う。
障害児入所施設	福祉型障害児入所施設と医療型障害児入所施設に区分され、障害児の保護、指導、知識技能の付与を行う。医療型施設では治療も行う。
児童発達支援センター	福祉型と医療型に区分され、障害児を日々保護者の下から通わせて指導、知識技能の付与、適応のための訓練を行う。医療型センターでは治療も行う。
児童心理治療施設	虐待や人間関係等が原因で、心理的に不安定な状態にあり、社会生活が困難になっている児童を短期間入所または通所させて、治療及び指導を行う。
児童自立支援施設	不良行為をなし、またはなすおそれのある児童及び生活指導を要する児童を入所または通所させ指導、自立支援を行い、退所した者の相談・援助を行う。
児童厚生施設	児童館・児童遊園等、児童に健全な遊びを与え健康を増進し情操を豊かにする。
児童家庭支援センター	地域の児童の福祉に関する相談、助言等を行い、また市町村の求めに応じ助言、援助等を行うほか、保護を要する児童やその保護者に対する指導、児童福祉施設等との連絡調整等を行い、地域の児童や家庭の福祉の向上を図る。
里親支援センター	里親制度の普及促進、登録里親の育成、子どもの置かれた状況に適した里親のマッチング、里親家庭の支援を行う。

Point 4 児童福祉に関する法律

法律名と制定年	内　容
児童福祉法 1947（昭和22）年	全ての児童の健全育成と福祉の積極的増進を基本精神とする、児童福祉に関する基本的な法律。
児童扶養手当法 1961（昭和36）年	「父又は母と生計を同じくしていない児童が育成される家庭の生活の安定と自立の促進に寄与するため、当該児童について児童扶養手当を支給し、もつて児童の福祉の増進を図ること」を目的としている。「児童」とは、「18歳に達する日以後の最初の3月31日までの間にある者又は20歳未満で政令で定める程度の障害の状態にある者」としている。
特別児童扶養手当等の支給に関する法律 1964（昭和39）年	「精神又は身体に障害を有する児童について特別児童扶養手当を支給し、精神又は身体に重度の障害を有する児童に障害児福祉手当を支給するとともに、精神又は身体に著しく重度の障害を有する者に特別障害者手当を支給することにより、これらの者の福祉の増進を図ること」を目的としている。 この法律において「障害児」とは、「20歳未満であつて、第2条第5項に規定する障害等級に該当する程度の障害の状態にある者」をいう。
母子及び父子並びに寡婦福祉法 1964（昭和39）年 ＊2014年に改称 旧「母子福祉法」	「母子家庭等及び寡婦の福祉に関する原理を明らかにするとともに、母子家庭等及び寡婦に対し、その生活の安定と向上のために必要な措置を講じ、もつて母子家庭等及び寡婦の福祉を図ること」を目的としている。この法律において「児童」とは、「20歳に満たない者」をいう。「寡婦」とは、「配偶者のない女子であつて、かつて配偶者のない女子として児童を扶養していたことのある者」をいう。
母子保健法 1965（昭和40）年	「母性並びに乳児及び幼児の健康の保持及び増進を図るため、母子保健に関する原理を明らかにするとともに、母性並びに乳児及び幼児に対する保健指導、健康診査、医療その他の措置を講じ、もつて国民保健の向上に寄与すること」を目的としている。
児童手当法 1971（昭和46）年	「父母その他の保護者が子育てについての第一義的責任を有するという基本的認識の下に、児童を養育している者に児童手当を支給することにより、家庭等における生活の安定に寄与するとともに、次代の社会を担う児童の健やかな成長に資すること」を目的としている。この法律において「児童」とは、「18歳に達する日以後の最初の3月31日までの間にある者」としている。

Point 5 児童憲章 1951（昭和26）年5月5日 制定

わが国初の児童の権利に関する宣言。

前文：「児童は、人として尊ばれる」
「児童は、社会の一員として重んぜられる」
「児童は、よい環境のなかで育てられる」

Point 6 子ども家庭福祉に関わる歴史的人物

人物名	主な功績や著書など
留岡幸助	私立感化院「家庭学校」
徳永　恕	二葉幼稚園園長
石井十次	岡山孤児院
糸賀一雄	知的障害児施設「近江学園」 重症心身障害児施設「びわこ学園」
高木憲次	肢体不自由児学校「光明学校」
高瀬真卿	私立予備感化院
城戸幡太郎	保育問題研究会
エレン・ケイ	『児童の世紀』
コルチャック	『子どもの権利』『安全な平等』
イリイチ	『シャドウワーク』
エリクソン	『幼児期と社会』

そのほかの重要な人物

ルソー、オーベルラン、フレーベル、石井亮一

倉橋惣三 ➡ 2章 保育原理 p.48
デューイ ➡ 5章 教育原理 p.166

Point 7 里親制度の種類

養育里親	要保護児童を養育する里親
親族里親	両親等の監護者が死亡等によって養育困難な要保護児童の扶養義務者及びその配偶者である親族であり、当該児童を養育する里親
養子縁組里親	将来養子縁組をすることを目的として養育する里親
専門里親	要保護児童のうち、児童虐待等により心身に有害な影響を受けた児童、知的障害のある児童、非行傾向のある児童などを養育する里親

Point 8 「児童福祉施設の設備及び運営に関する基準」における保育所職員の基準

乳児	おおむね3人につき1人以上
満1歳以上満3歳に満たない幼児	おおむね6人につき1人以上
満3歳以上満4歳に満たない幼児	おおむね15人につき1人以上
満4歳以上の幼児	おおむね25人につき1人以上

Point 9 児童厚生施設

児童厚生施設とは、児童福祉法第7条に規定される児童福祉施設である。

目的	児童遊園、児童館等児童に健全な遊びを与えて、その健康を増進し、または情操をゆたかにすること
設備基準	①児童遊園等屋外の児童厚生施設には、広場、遊具及び便所を設ける ②児童館等屋内の児童厚生施設には、集会室、遊戯室、図書室及び便所を設ける
職員	児童厚生施設には、児童の遊びを指導する者を置かなければならない

Point 10 その他の児童福祉関連法等と制定年

制定年	法　律
1999（平成11）年	児童買春、児童ポルノ禁止法
2000（平成12）年	児童虐待の防止等に関する法律（児童虐待防止法） ＊深刻化する児童虐待問題に対応するため、改正児童虐待防止法が2020（令和2）年4月1日に施行された。
2001（平成13）年	配偶者暴力防止法（DV防止法）
2003（平成15）年	少子化社会対策基本法
2003（平成15）年	次世代育成支援対策推進法
2004（平成16）年	発達障害者支援法
2012（平成24）年	子ども・子育て関連3法
2013（平成25）年	子どもの貧困対策の推進に関する法律
2014（平成26）年	母子及び父子並びに寡婦福祉法
2015（平成27）年	子ども・子育て支援新制度
2016（平成28）年 2019（令和元）年	子ども・子育て支援法改正
2021（令和3）年	医療的ケア児及びその家族に対する支援に関する法律
2022（令和4）年	こども基本法、こども家庭庁設置法、 困難な問題を抱える女性への支援に関する法律

Point 11 児童虐待

身体的虐待	児童の身体に外傷が生じ、または生じるおそれのある暴行を加えること
性的虐待	児童にわいせつな行為をすることまたは児童をしてわいせつな行為をさせること
ネグレクト	児童の心身の正常な発達を妨げるような著しい減食または長時間の放置、保護者以外の同居人による児童虐待行為と同様の行為の放置、その他の保護者としての監護を著しく怠ること
心理的虐待	児童に対する著しい暴言や拒絶的な対応、児童が同居する家庭での配偶者に対する暴力、その他の児童に著しい心理的外傷を与える言動を行うこと

Lesson 1

子ども家庭福祉の歴史的変遷

でる

問1 児童の権利に関する条約は、児童の生命や生活が保護される権利（受動的権利）と合わせて自由に意見を表明する権利（能動的権利）などを保障している。

問2 保育所は、保育所を利用している保護者のみを対象にした支援を行うこととされている。

問3 石井十次は、1887（明治20）年に博愛社を設立した。

でる

問4 フランスの思想家ルソーは、著書『児童の世紀』の中で「人は子どもというものを知らない」と述べている。

問5 知的障害児を対象とした滝乃川学園は、高木憲次が開設した。

でる

問6 糸賀一雄は、1946（昭和21）年に知的障害児施設近江学園を開設し、知的障害児の福祉・教育に一生を捧げた。

でる

問7 1900（明治33）年に野口幽香は、わが国最初の託児所といわれる新潟静修学校を開設した。

答1 ○

この条約は、子どもの権利条約とも称され、1989（平成元）年に国連で採択され、日本は1994（平成6）年に条約を批准（国としての同意、承認）した。

答2 ×

保育所は、保育所を利用している保護者と地域の子育て家庭の保護者を対象にした支援を行うこととされている。

答3 ×

博愛社は、1890（明治23）年に小橋勝之助が設立した。石井十次は、1887（明治20）年に岡山孤児院を設立した。

答4 ×

ルソーは、著書『エミール』の中で子どもの生きる権利や可能性について述べている。『児童の世紀』の著者は、エレン・ケイである。

答5 ×

滝乃川学園を開設したのは、石井亮一である。高木憲次は、整肢療護園を開設した。

答6 ○

糸賀一雄は、「この子らを世の光に」を信念に、知的障害児の福祉・教育に一生を捧げた。

答7 ×

新潟静修学校は、1890（明治23）年に赤沢鍾美が開設した。野口幽香は、1900（明治33）年に貧民のための二葉幼稚園（二葉保育園）を開設した。

Lesson 2

子ども家庭福祉の制度と実施体系

問1 児童虐待防止とDV対策の連携強化のため、児童相談所は、配偶者暴力相談支援センターと連携協力するよう努めなければならない。

問2 地方公共団体は、要保護児童の適切な保護を図るため要保護児童対策地域協議会（要対協）を設置するよう努めなければならない。

でる 問3 こども家庭庁は、2022（令和4）年こども家庭庁設置法成立により、2023（令和5）年に設立された。内部組織は、「こども成育局」「こども支援局」「長官官房」である。

問4 児童相談所が被虐待児童を一時保護する場合の費用は、都道府県がすべて負担することになっている。

問5 「ニッポン一億総活躍プラン」に基づき、保育士・幼稚園教諭等を対象に、引き続き処遇改善が行われた。

でる 問6 児童福祉法第10条には、市町村が行う児童と妊産婦に関する福祉の業務として、児童養護施設への入所措置を行うことが示されている。

でる 問7 市区町村は、「子ども家庭総合支援拠点」と「子育て世代包括支援センター」を一体化させた、「こども家庭センター」を設置することができる。

答1 ○ 記述のとおりである。なお、連携協力の他に、配偶者暴力相談支援センター等の職員も、児童虐待の早期発見に努めなければならないとされている。

答2 ○ 2004（平成16）年児童福祉法改正法により、要保護児童対策地域協議会を設置し、関係機関等に対して資料や情報の提供、意見の開陳等の協力を求めることができる。

答3 ○ こども家庭庁は、内閣府の外局として、こどもと家庭の福祉・保健その他の支援、こどもの権利利益の擁護を一元化した。

答4 × 児童相談所が被虐待児童を一時保護する場合の費用は、都道府県が負担し、国がこの半分を負担する。

答5 ○ 2021年12月「保育士・幼稚園教諭等処遇改善臨時特例事業実施要綱」を定め、保育士、幼稚園教諭、保育教諭等の処遇改善のため、2022年2月から収入を3%程度引き上げた。

答6 × 児童及び妊産婦の福祉に関して、「必要な実情の把握に努めること」「必要な情報の提供を行うこと」などが示されている。

答7 ○ 市区町村が設置するこども家庭センターは、妊産婦、子育て世帯、子どもに対する相談支援を行う機能がある機関として、ソーシャルワークの中心的な役割を担う。

Lesson 3

子ども家庭福祉の実施機関

問1 要保護児童対策地域協議会から情報提供を要請されても、関係機関は児童のプライバシー保護最優先のため応じる必要はない。

でる

問2 児童相談所は、都道府県と指定都市のほかに特別区と中核市、市町村にも設置が義務付けられている。

問3 児童相談所は、児童虐待防止法に基づく行政機関である。

でる

問4 全国の児童相談所に寄せられる相談で、最も多い相談内容は育成相談である。

でる

問5 病児保育事業のうち、「病児対応型」「病後児対応型」は、乳児・幼児が対象である。

でる

問6 児童発達支援センターは、児童福祉法第43条で定められた、児童福祉施設である。

でる

問7 自立援助ホーム（児童自立生活援助事業）の対象は、義務教育を終了した者から満20歳に達するまでの者である。

1回目 /7点　2回目 /7点

答1 ×

関係機関は、要保護児童対策地域協議会から資料または情報の提供等、必要な協力の求めがあった場合には、応じるよう努めなければならない。

答2 ×

児童相談所の設置が義務付けられているのは、都道府県と指定都市だが、特別区と中核市も設置することができるとされている。

答3 ×

児童相談所は、児童福祉法第12条に基づく児童福祉のための専門機関である。

答4 ×

2021（令和3）年度では、養護相談（49.5％）が最も多く、障害相談（35.6％）、育成相談（7.3％）の順となっている。近年、養護相談の件数は年々上昇している。

答5 ×

病院や保育所に付設された専用スペースで看護師等が一時的に保育する事業で、対象は乳児・幼児・小学校就学児。保育士は、児童おおむね3人につき1人以上配置（一部例外あり）。

答6 ○

地域の中核的な療育支援施設として、障害児とその家族のための相談や療育など、総合的な支援を行う。

答7 ×

児童福祉法第6条の3第1項が改正され、2017（平成29）年4月1日より「大学の学生等で満22歳に達する日の属する年度の末日までの間にある者」が加えられた。

Lesson 4

子ども家庭福祉の専門職

問1 児童相談所の所長は、被虐待児童が管轄区域外に移転する場合は、移転先管轄の学校長に対して必要な情報の提供を行わねばならない。

でる 問2 家庭支援専門相談員は、乳児院、児童養護施設、母子生活支援施設、児童心理治療施設、児童自立支援施設に配置されている。

問3 医療的ケア児等コーディネーターは、支援を必要としている医療的ケア児、家族からの相談に応じて、サービスを提供する機関などにつなぐ役割を担う。

でる 問4 保育士の配置基準は、乳児はおおむね6人につき1人以上である。

でる 問5 里親支援専門相談員は、児童相談所に配置されることとされている。

問6 保護司は、法務大臣から委嘱された非常勤の国家公務員である。

でる 問7 家庭相談員は、乳児院、児童養護施設、児童自立支援施設などに設置され、里親委託の促進、地域子育て支援などの職務を行う。

答1 ×

学校長に対してではなく移転先を管轄する児童相談所の所長に対し、速やかに必要な情報の提供を行うものとすることと定められている。

答2 ×

母子生活支援施設へ家庭支援専門相談員の配置はなく、母子支援員の配置がある。なお、2024（令和6）年4月より、里親支援センターにも配置されることになった。

答3 ○

医療的ケア児等コーディネーターは、当事者とその家族が必要とする保健、医療、福祉、教育等の分野の支援の利用を調整し、総合的なサービスの提供につなげる専門職である。

答4 ×

保育士の配置基準は、児童福祉施設の設備及び運営に関する基準において、乳児はおおむね3人につき1人以上と定められている。

答5 ×

里親支援専門相談員は、乳児院及び児童養護施設に配置され、児童相談所とも連携するが配置義務はない。

答6 ○

保護司の委嘱及び保護区の設定は、法務大臣が行う。なお、保護司の数は、全国を通じて5万2,500人を超えないものとされている（保護司法第2条）。

答7 ×

家庭相談員は、福祉事務所の家庭児童相談室に設置され、児童の福祉についての相談援助を行う。

Lesson 5

少子化と地域子育て支援

でる

問1 保育所の利用要件については、「保育に欠ける」ことが条件となっている。

でる

問2 合計特殊出生率は、15～49歳の女性の年齢別出生率を合計したものである。

でる

問3 「子ども・子育て支援新制度」における総合的な子育て支援の推進に関わる内容の実施主体は、基礎自治体である市町村である。

問4 家庭的保育事業とは、家庭において必要な保育を受けることが困難な乳幼児に対し、保育所や認定こども園において保育を行う事業である。

でる

問5 次世代育成支援対策推進法で、行動計画の目標達成等、基準を満たした企業は申請により厚生労働大臣の認定を受けることができる。

問6 子ども・子育て支援法によると、保育所・幼稚園・認定こども園は、地域型保育給付費の対象である。

問7 育児休業、介護休業等育児又は家族介護を行う労働者の福祉に関する法律（育児・介護休業法）では、保育所等に入れない場合、育児休業の再延長が可能となった。

1回目 /7点　2回目 /7点

答1 ×

以前は「保育に欠ける」であったが、保育の必要性の認定にかわることで、求職活動や就学、虐待や DV のおそれ等、事由が具体的に示された。

答2 ○

合計特殊出生率は、出生力を表す代表的な指標の一つであり、１人の女性が一生の間に子どもを産むとしたときの子どもの数に相当する。

答3 ○

市町村は、地域のニーズを踏まえて計画を策定して、給付などを担う。国及び都道府県は、実施主体の市町村を重層的に支える役割を担う。

答4 ×

家庭的保育事業は、保育者の居宅等において保育を行う事業のことであり、地域型保育事業の一つである。

答5 ○

厚生労働大臣の認定である「くるみん認定」を受けることができる。

答6 ×

保育所・幼稚園・認定こども園への給付は、「施設型給付」である。「地域型保育給付」の対象となるのは、小規模保育等である。

答7 ○

育児・介護休業法が改正されて、2017（平成29）年10月から施行となった。子が保育所等に入れない場合、最長2歳まで育児休業の再延長が可能となった。

Lesson 6

母子保健

問1
体重が2,500ｇ未満の乳児が出生したときは、医療機関は速やかに、その旨をその乳児の現在地の市町村に届け出なければならない。

問2
養育支援訪問事業の対象家庭として、児童養護施設等の退所や里親委託の終了により、児童が復帰した後の家庭は含まれない。

でる
問3
母子保健法における「妊産婦」とは、妊娠中または出産後1年以内の女子をいう。

問4
母子健康手帳は、自分の住んでいる市区町村の役所で交付される。

問5
1歳6か月及び3歳児の乳幼児健康診査は、それぞれ年齢が1歳6か月と3歳を超えてから1年以内に実施することとされている。

問6
児童福祉法における「特定妊婦」とは、出産後の子どもの養育について出産前において、支援を行うことが特に必要と認められる妊婦のことである。

でる
問7
「産後ケア事業」は、妊産婦等が抱える妊娠・出産、子育てに関する悩み等の相談支援を行う事業である。

答1 ×
低体重児の届出は、保護者が速やかに現在地の市町村に届け出なければならない。必要があれば、医師、保健師等が保護者を訪問し、指導を行う。

答2 ×
養育支援訪問事業は、養育支援が特に必要な家庭を保健師等が居宅訪問し、養育に関する指導、助言等を行う。児童が家庭復帰した家庭も含まれる。

答3 ○
その他、同法による定義では、「新生児」とは出生後28日を経過しない乳児を指し、「低体重児」とは体重が2,500g未満の乳児をいう。

答4 ○
市区町村の役所で妊娠届に必要事項を記入して提出すれば、その場で交付される。

答5 ×
対象児は、1歳6か月健診が「満1歳6か月を超え満2歳に達しない幼児」、3歳児健診は「満3歳を超え満4歳に達しない幼児」とされている。

答6 ○
同法が定める特定妊婦は、自治体が設置する要保護児童対策地域協議会によって認定され、母子の心身の健康の維持、生活、就労、教育などの支援が行われる。

答7 ×
記述は、産前・産後サポート事業である。産後ケア事業は、分娩施設退院後から一定の期間、病院等にて、母子に対して健やかな育児ができるよう支援することを目的としている。

Lesson 7 子どもの健全育成

でる 問1 「児童館ガイドライン」には、児童館の機能・役割の一つとして「児童の一時預かりによる保護」が示されている。

問2 放課後児童健全育成事業は、「新・放課後子ども総合プラン」により、放課後子供教室との一体型での実施が求められている。

でる 問3 「令和5年放課後児童健全育成事業の実施状況」で、放課後児童クラブの登録児童数は、近年増加傾向にある。

でる 問4 放課後児童クラブの対象者は、おおむね10歳以下の児童である。

問5 本来、大人が担うと想定されている家事や家族の世話、介護、感情面のサポートなどを行っている18歳未満の子どもを、ヤングケアラーという。

問6 放課後児童健全育成事業所を開所する時間は、その地方における児童の保護者の労働時間、小学校の授業の終了時刻、その他の状況などを考慮して、市区町村長が定める。

答1 ×

「遊び及び生活を通した子どもの発達の増進」「子どもの安定した日常の生活の支援」「子どもと子育て家庭が抱える可能性のある課題の発生予防・早期発見と対応」等、5項目が示されているが、「児童の一時預かりによる保護」は含まれていない。

答2 ○

「小1の壁」や「待機児童」を解消して、放課後を安全・安心に過ごし、多様な体験・活動を行うことができるよう、放課後児童クラブと放課後子供教室の両事業の計画的な整備等が推進されている。

答3 ○

登録児童数は、対前年65,226人増加して1,457,384人で、年々増加傾向である。なお、クラブ数は、対前年876か所減少して25,807か所である。

答4 ×

放課後児童クラブの対象は、2020（令和2）年の改正において、小学校に就学している児童と広がり、小学校6年生まで含まれている。

答5 ○

法令上の定義はないが、ヤングケアラーについては、2022（令和4）年度から3年間を集中取組期間として、中高生の認知度5割をめざし社会的認知度の向上に取り組むとともに、自治体による実態調査や研修を支援することとしている。

答6 ×

開所時間は事業所ごとに定める。小学校の授業の休業日は「1日につき8時間」、休業日以外は「1日につき3時間」が原則である（放課後児童健全育成事業の設備及び運営に関する基準第18条）。

Lesson 8

ひとり親家庭の福祉

でる 問1 2023（令和5）年厚生労働省人口動態統計月報年計（概数）の概況によると、前年と比べ、離婚件数は増加しているが、婚姻件数は減少している。

問2 母子世帯になった理由は、離婚が5割で、死別が4割である。

でる 問3 母子及び父子並びに寡婦福祉法では、「児童」を20歳未満の者と定義している。

問4 母子及び父子並びに寡婦福祉法の改正により、母子自立支援員は、母子・父子自立支援員に改称された。

問5 都道府県は、保育所に入所する児童を選考する場合、母子家庭等の福祉が増進されるように特別の配慮をしなければならない。

でる 問6 母子生活支援施設は、児童福祉法に規定された児童福祉施設であり、児童が18歳になるまで在所できる。

でる 問7 ひとり親家庭には、所得制限がなく、児童扶養手当が支給される。

1回目 /7点　2回目 /7点

答1 ○
離婚件数は、前年よりも4,709組増加している。なお、婚姻件数の約1/4が「夫婦とも再婚又はどちらか一方が再婚」で、子どもを連れて再婚する家族をステップファミリーという。

答2 ×
令和3年度では、離婚79.5％が最も多く、次いで未婚の母10.8%、死別5.3%となっている。令和2年の未成年の子どもがいる離婚件数は約111,000件で、全体の57.6%である。

答3 ○
同法では、児童は20歳未満の者と定義されている。なお、児童福祉法では、児童を18歳未満の者と定義している。

答4 ○
2002（平成14）年の改正により父子家庭も同法の対象とされており、2014（平成26）年の改正により母子・父子自立支援員に改称された。

答5 ×
市町村は、保育所に入所する児童を選考するときに、母子家庭等の福祉が増進されるように特別の配慮をしなければならない。

答6 ×
母子生活支援施設は、特別な事情がある場合は子どもが20歳になるまで在所でき、母子家庭の母子を保護し、自立のための生活支援を行う施設である。

答7 ×
ひとり親家庭には、児童扶養手当が支給されるが、受給には所得制限がある。

Lesson 9

児童虐待防止法

問1 子ども食堂や子どもへの宅食等を行う地域における子どもの見守り体制が強化されている。

でる 問2 こども家庭庁では、児童虐待防止対策にも取り組むことになっている。

でる 問3 2022（令和4）年度の児童相談所へ寄せられた児童虐待相談の件数は、調査を開始した1990（平成2）年度と比較して、約200倍に増加した。

問4 ここ数年、虐待相談の内容をみると身体的虐待が心理的虐待を上回り、一番高い割合となっている。

問5 2021（令和3）年度の全国の被措置児童等虐待の届出・通告受理件数のうち、虐待の事実が認められた施設等は、「里親・ファミリーホーム」が一番多い。

問6 2022（令和4）年度に、児童相談所に寄せられた虐待相談の相談経路は、近隣知人からが一番多い。

でる 問7 児童の福祉に関する事務に従事する職員は、臨検に際して必要がある場合、家の錠をはずすことができるとしている。

答1 ○

民間団体等と連携して、食事の提供や学習支援等、子育て支援等サービスを通じた子どもの状況把握を行うことで、見守り体制の強化を支援している。

答2 ○

2023（令和5）年にこども家庭庁が発足し、従来、厚生労働省で取り扱っていた児童虐待防止対策などは、こども家庭庁で取り組むことになった。

答3 ○

1990（平成2）年度の相談件数は1,101件、2022（令和4）年度の相談件数（速報値）は219,170件であるので、大幅に増加していることがわかる（令和4年度福祉行政報告例）。

答4 ×

2013（平成25）年度以降、心理的虐待が一番高い割合で、2022（令和4）年度における相談種別の59.1%を占める。「面前DV」による警察からの通告が増加の理由となっている。

答5 ×

一番多いのは「児童養護施設」69件（52.5%）である。「里親・ファミリーホーム」は21件（16.0%）、「障害児入所施設等」は20件（15.3%）、「児童相談所一時保護所」は6件（4.6%）。

答6 ×

2022（令和4）年度に児童相談所に寄せられた虐待相談の相談経路は、警察等51.5%、近隣知人11.0%、家族親戚8.4%、学校等7.3%となっている。

答7 ○

児童の福祉に関する事務に従事する職員は、立入調査に応じない場合、裁判所に許可状を請求し、強制的に臨検、捜索を行うことができる。

Lesson 10

要保護児童の現状と福祉

問1 特別養子縁組は、子どものいない夫婦のための制度であり、それによって児童の年齢を審判申し立て時に、6歳未満であることが条件となる。

でる 問2 里親開拓から里親と児童のマッチング、里親に対する訪問支援、里親委託児童の自立支援まで一貫した里親支援は、都道府県（児童相談所）の業務である。

でる 問3 児童養護施設退所者等（ケアリーバー）への自立支援の取組強化のため、各施設に複数名のコーディネーターの配置が可能となった。

問4 市町村の設置する要保護児童対策地域協議会の調整機関に、専門職を置くことは努力義務である。

でる 問5 養子縁組を前提とする里親となるためには、家庭裁判所の認定を受けなければならない。

問6 養育里親は、要保護児童のうち、児童虐待等により心身に有害な影響を受けた児童、障害を持つ児童、非行等の問題を有する児童などを養育する里親である。

でる 問7 里親になるためには、所定の研修を受けることが義務づけられている。

1回目 /7点　2回目 /7点

答1 ×

特別養子縁組は、子どもの福祉が目的で、親になる者のための制度ではない。2020（令和2）年4月より、対象児童の年齢が審判申し立て時に、原則15歳未満までに拡大された。

答2 ○

2017（平成29）年4月1日施行（平成28年6月公布）の「児童福祉法等の一部を改正する法律」において、明記された（児童福祉法第11条第1項第2号）。

答3 ×

各自治体に複数名のコーディネーターの配置が可能となった。身元保証人確保の支援対象者は、措置解除等より5年以内の者まで拡大された。

答4 ×

2017（平成29）年4月1日施行（平成28年6月公布）の児童福祉法の改正により、専門職の配置は義務となった（同法第25条の2第6項）。

答5 ×

養子縁組里親は、都道府県知事が認定する。

答6 ×

専門里親の記述である。養育里親は、要保護児童を養育する里親のことである。

答7 ○

里親になるための資格は必要ないが、居住地の児童相談所に相談し、所定の研修を受けることが義務づけられている。

Lesson 11

障害児福祉

でる
問1 保育所等訪問支援の対象には、小学校や特別支援学校も含まれる。

でる
問2 障害児通所支援と障害児入所支援の実施主体は、障害児通所支援が都道府県、障害児入所支援が市町村である。

問3 放課後等デイサービス、保育所等訪問支援は、いずれも障害児通所給付費及び特例障害児通所給付費による給付の対象である。

でる
問4 障害者基本法における障害者の定義に、発達障害者は含まれていない。

問5 児童発達支援センターは、障害児通所支援の一つで、小学校就学前の6歳までの障害のある子どもが主に通う、支援を受けるための施設である。

でる
問6 障害のある子どもは、放課後等デイサービスで放課後の生活が保障されているため、放課後児童クラブは利用できない。

問7 特別児童扶養手当の支給対象は、障害児を養育している父母等であり、障害児福祉手当の支給対象は障害児本人となっている。

1回目 /7点　2回目 /7点

答1 ○
保育所等訪問支援は、保育所、幼稚園、認定こども園以外に児童が集団生活を営む施設として地方自治体が認めたものも対象である。

答2 ×
障害児通所支援の実施主体は市町村、障害児入所支援の実施主体は都道府県である。

答3 ○
給付の対象となるのは、記述にある放課後等デイサービス、保育所等訪問支援のほか、児童発達支援、医療型児童発達支援、居宅訪問型児童発達支援が該当する。

答4 ×
障害者基本法において障害者とは、「身体障害、知的障害、精神障害（発達障害を含む。）その他の心身の機能の障害がある者」と規定されている。

答5 ○
日常生活の自立支援や機能訓練、遊びや学びの場の提供、集団生活への適応訓練といった障害児への支援を目的とし、さらに保育所等に訪問して専門的な支援を行う機能を有している。

答6 ×
障害のある子どもも利用できるように適切な配慮及び環境整備を行い、可能な限り受け入れに努めるよう放課後児童クラブ運営指針に定められている。

答7 ○
特別児童扶養手当等の支給に関する法律によって、在宅の20歳未満の障害児を養育している父母等、障害児本人それぞれに支給される。

Lesson 12 少年非行

問1 少年法では、14歳以上で犯罪を行った少年を虞《ぐ》犯《はん》少年という。

でる 問2 罪を犯した少年が14歳に満たない場合でも必要があると認められた場合には、家庭裁判所に送致される。

問3 少年院は、児童相談所による保護処分の執行を受ける者、および少年院において懲役または禁錮刑の執行を受ける者を、収容する。

問4 18・19歳の厳罰化を柱とした改正少年法は、18・19歳を特定少年と位置付け、公訴提起後は原則として、記事等の掲載が可能となった。

問5 SNSに起因する事犯に係る学職別の被害児童数が最も高いのは、中学生である。

でる 問6 少年鑑別所では、対象者を1年以上の期間収容させ、生活訓練や職業能力開発などの支援を行う。

でる 問7 児童自立支援施設には、児童自立支援専門員と児童生活支援員が配置されている。

答1 ×
刑罰法令に触れる行為をした者で、14歳以上を犯罪少年、14歳未満を触法少年という。虞犯少年とは、将来、罪を犯し、刑罰法令に触れる行為をするおそれのある少年のこと。

答2 ○
送致の判断は、児童相談所長が行う。

答3 ×
少年院は、家庭裁判所による保護処分の執行を受ける者、および少年院において懲役または禁錮刑の執行を受ける者に、矯正教育などを行う。

答4 ○
18・19歳を適用対象としたまま特定少年と位置付け、公訴提起後は略式手続による場合を除き、記事等の掲載禁止規定が適用されないこととなった。

答5 ○
高校生42.8%、中学生44.9%、小学生8.3%であり、中学生が一番高い（警察庁「令和5年における少年非行及び子供の性被害の状況」）。

答6 ×
少年鑑別所は、犯罪傾向の進んだ少年を収容する施設であり、収容期間は2週間以内が原則（特に必要のある場合、8週間まで延長可能）である。

答7 ○
他に、嘱託医及び精神科の診療に経験を有する医師又は嘱託医、個別対応職員、家庭支援専門相談員、栄養士、調理員を置かなければならない。

Lesson 13

障害児支援の体系

問1 児童心理治療施設においては、心理療法担当職員は必ず配置されている。

問2 在宅障害児のための支援施策には、児童福祉法に基づく障害児通所支援と、障害者総合支援法に基づく支援等がある。

問3 居宅訪問型児童発達支援とは、障害児通所支援の利用の外出が困難な障害児に対し、発達支援を居宅において提供していることである。

問4 障害（児）者の手帳制度にて、身体障害の児童は身体障害者手帳、知的障害の児童は療育手帳、精神障害の児童は精神障害者保健福祉手帳の交付を受けることができる。

問5 情緒障害とは、感情を表出したり抑制したりすることが困難な状態をいう。

問6 福祉型障害児入所施設に入所中の18歳以上で移行先が決定していない者の現状（年代別）において一番多い区分は20～29歳である。

問7 放課後等デイサービスの対象児童の見直しにともない、義務教育終了後の年齢層（15～17歳）について放課後等デイサービスの給付決定を行うことを可能とする。

答1 ○

設備運営基準上の人員配置基準は、児童10人につき1人とされているが、措置費上の配置職員（加算職員含む）は、児童7～10人につき1人である。

答2 ○

障害者総合支援法に基づく在宅障害児のための主な事業として、居宅介護、短期入所事業、補装具費の支給、日常生活用具の給付・貸与などがある。

答3 ○

重度の障害等の状態にあるため、外出することが著しく困難な障害児に対し、障害児の居宅を訪問して発達支援を居宅において提供している。

答4 ○

身体障害者手帳は、1～6級までの6段階、療育手帳は、A・Bの2段階、精神障害者保健福祉手帳は、1～3級までの3段階となっている。

答5 ○

情緒障害とは、被虐待やその他の要因で、ひきこもりや場面緘黙《かんもく》などの心因性とされる症状が起き、学校生活や社会生活に支障をきたす状況をいう。

答6 ×

一番多い区分は、18～19歳である。18歳以上で移行先が決定していない者については、児者転換等の対応を加速するよう取り組みを進めている。

答7 ○

障害の状態や家庭環境等により学校終了後や休日に自立的に過ごすことが難しく、放課後等デイサービスによる発達支援が必要と市町村長が認める場合、給付決定を行うことが可能。

Lesson 14

多様な家庭生活の実態

問1 子どもの貧困に対するさらなる支援を行うために、2019（令和元）年に「子どもの貧困対策の推進に関する法律」が改正された。

問2 「2022年国民生活基礎調査」によると、世帯の状況が、児童がいる世帯と児童がいない世帯とでは、児童がいない世帯の方が多い。

問3 「令和4年版男女共同参画白書」によると、女性の非正規雇用労働者の割合は、前年に比べて低下している。

でる
問4 「令和4年度雇用均等基本調査」によると、男性の育児休業取得率は過去最高となっている。

でる
問5 「育児休業、介護休業等育児又は家族介護を行う労働者の福祉に関する法律」により、子どもの看護休暇を取得できるのは就学前までである。

でる
問6 人口動態統計によると、2023（令和5）年の離婚率は、過去最高となっている。

問7 「2022年国民生活基礎調査」によると、児童のいる世帯では児童の数が2人の世帯が最も多く、次いで1人の世帯となっている。

1回目 /7点　2回目 /7点

答1 ○ 2019（令和元）年の改正により、市町村に対し子どもの貧困対策計画を策定する努力義務が課せられた。

答2 ○ 2022（令和4）年では、児童のいない世帯は81.7%、児童のいる世帯が18.3%と児童がいない世帯が多くなっている。

答3 ○ 女性の非正規雇用労働者の割合は53.6%で、前年に比べて低下し、就業希望者は171万人である。求職していない理由で最も多いのは「適当な仕事がありそうにない」34.5%である。

答4 ○ 育児休業取得率は、男性が17.13%、女性が80.2%である。厚生労働省では、2022（令和4）年4月1日から段階的に育児・介護休業法を施行している。

答5 ○ 小学校就学の始期に達するまでの子を養育する労働者が、子どもの看護休暇を取得できる。

答6 × 離婚率は、2002（平成14）年が2.30でもっとも多く、その後は増加の年もあったが緩やかに減少傾向である。2023（令和5）年は1.52である。

答7 × 児童のいる世帯の児童の数は、1人（全世帯の9.0%）が最も多く、次いで2人（同6.9%）、3人以上（同2.3%）の順になっている。

Lesson 15

子ども家庭福祉の動向

問1 利用者支援事業特定型は、主に市区町村が窓口となり、保育所待機児童に限定した相談援助業務を行う事業である。

でる

問2 子育て援助活動支援事業においては、病児や病後児の預かりも行われている。

問3 子ども・子育て支援新制度における地域型保育給付（事業）とは、小規模保育、家庭的保育、事業所内保育の3つの事業をいう。

でる

問4 2020（令和2）年「新・放課後子ども総合プラン」が策定された。

でる

問5 様々な困難な問題を抱える女性を支援するため、2022（令和4）年に困難女性支援法が制定された。

問6 2021（令和3）年度末における登録里親世帯数は、過去5年間減少傾向にある。

でる

問7 子育て支援事業における病児保育事業は、「病児対応型」「病後児対応型」「非施設型（訪問型）」の事業類型で構成される。

答1 ×
利用者支援事業特定型は待機児童に限定せず、保育サービスに関する相談、保育所や各種サービスに関する情報提供や利用支援等を行う事業である。

答2 ○
活動例には、「保育施設等への送迎」や、「学校の放課後」「保護者の病気時」「冠婚葬祭や他の子どもの学校行事」「病児・病後児」の預かり等がある。

答3 ×
地域型保育給付（事業）とは、小規模保育、家庭的保育、居宅訪問型保育、事業所内保育の4つの事業をいう。

答4 ×
新・放課後子ども総合プランが策定されたのは、2018（平成30）年であるが、2020（令和2）年には、新・放課後子ども総合プランの一層の推進について文書依頼が出された。

答5 ○
売春防止法にもとづくこれまでの施策から脱却、新たな支援が強化される。2024年4月より婦人相談所が女性相談支援センター、婦人保護施設が女性自立支援施設に名称変更された。

答6 ×
令和3年度福祉行政報告例によると、登録里親世帯数は近年増加傾向にあり、2020（令和2）年度末14,401世帯、2021（令和3）年度末15,607世帯となっている。

答7 ×
病児保育事業は、「病児対応型」「病後児対応型」「体調不良児対応型」「非施設型（訪問型）」「送迎対応」の事業類型で構成される。

Lesson 16

関係法令等（1）

穴埋め問題

問1　われらは、日本国憲法の精神にしたがい、児童に対する正しい観念を確立し、すべての児童の幸福をはかるために、この憲章を定める。
児童は、人として尊ばれる。
児童は、社会の一員として重んぜられる。
児童は、よい環境のなかで育てられる。

憲章　**前文**

でる　問2　全て児童は、児童の権利に関する条約の精神にのつとり、適切に養育されること、その生活を保障されること、愛され、保護されること、その心身の健やかな成長及び発達並びにその自立が図られることその他の福祉を等しく保障される権利を有する。

法律　**児童福祉法　1条**

でる　問3　全て国民は、児童が良好な環境において生まれ、かつ、社会のあらゆる分野において、児童の年齢及び発達の程度に応じて、その意見が尊重され、その最善の利益が優先して考慮され、心身ともに健やかに育成されるよう努めなければならない。

法律　**児童福祉法　2条1項**

でる　問4　児童の保護者は、児童を心身ともに健やかに育成することについて第一義的責任を負う。
国及び地方公共団体は、児童の保護者とともに、児童を心身ともに健やかに育成する責任を負う。

法律　**児童福祉法　2条2項、2条3**

でる 問5

日本国憲法及び児童の権利に関する条約の精神にのっとり、…（略）…社会全体としてこども施策に取り組むことができるよう、こども施策に関し、基本理念を定め、国の責務等を明らかにし、及びこども施策の基本となる事項を定めるとともに、こども政策推進会議を設置すること等により、こども施策を総合的に推進することを目的とする。

法律　こども基本法　1条

でる 問6

保育士とは、…（略）…保育士の名称を用いて、専門的知識及び技術をもつて、児童の保育及び児童の保護者に対する保育に関する指導を行うことを業とする者をいう。

法律　児童福祉法　18条の4

問7

経済成長の隘路である少子高齢化に真正面から立ち向かう。広い意味での経済政策として、子育て支援や社会保障の基盤を強化、それが経済を強くするという新たな経済社会システムを創る（「究極の成長戦略」）。

閣議決定　ニッポン一億総活躍プラン　2016（平成28）年

問8

- 成年に達しない子は、父母の親権に服する。
- 親権を行う者は、子の利益のために子の監護及び教育をする権利を有し、義務を負う。
- 子は、親権を行う者が指定した場所に、その居所を定めなければならない。
- 子は、親権を行う者の許可を得なければ、職業を営むことができない。

法律　民法　818条1項、820条、822条、823条1項

Lesson 17 関係法令等（2）

穴埋め問題

問1

児童虐待が児童の人権を著しく侵害し、その心身の成長及び人格の形成に重大な影響を与えるとともに、我が国における将来の世代の育成にも懸念を及ぼすことにかんがみ、児童に対する虐待の禁止、児童虐待の予防及び早期発見その他の児童虐待の防止に関する国及び地方公共団体の責務、児童虐待を受けた児童の保護及び自立の支援のための措置等を定めることにより、児童虐待の防止等に関する施策を促進し、もって児童の権利利益の擁護に資することを目的とする。

法律　児童虐待の防止等に関する法律　1条

でる　問2

子ども・子育て支援は、父母その他の保護者が子育てについての第一義的責任を有するという基本的認識の下に、家庭、学校、地域、職域その他の社会のあらゆる分野における全ての構成員が、各々の役割を果たすとともに、相互に協力して行われなければならない。

法律　子ども・子育て支援法　2条1項

でる　問3

この法律は、女性が日常生活又は社会生活を営むに当たり女性であることにより様々な困難な問題に直面することが多いことに鑑み、困難な問題を抱える女性の福祉の増進を図るため、困難な問題を抱える女性への支援に関する必要な事項を定めることにより、困難な問題を抱える女性への支援のための施策を推進し、もって人権が尊重され、及び女性が安心して、かつ、自立して暮らせる社会の実現に寄与することを目的とする。

法律　困難な問題を抱える女性への支援に関する法律　1条

でる 問4

こども家庭庁は、心身の発達の過程にある者が自立した個人としてひとしく健やかに成長することのできる社会の実現に向け、子育てにおける家庭の役割の重要性を踏まえつつ、こどもの年齢及び発達の程度に応じ、その意見を尊重し、その最善の利益を優先して考慮することを基本とし、こども及びこどものある家庭の福祉の増進及び保健の向上その他のこどもの健やかな成長及びこどものある家庭における子育てに対する支援並びにこどもの権利利益の擁護に関する事務を行うことを任務とする。

法律　**こども家庭庁設置法　3条1項**

でる 問5

子どもは、自分に関係のあることについて自由に自分の意見を表す権利をもっています。その意見は、子どもの発達に応じて、じゅうぶん考慮されなければなりません。

条約　**子どもの権利条約（日本ユニセフ協会抄訳）　12条　意見を表す権利**

問6

この法律は、我が国における急速な少子化の進行並びに家庭及び地域を取り巻く環境の変化にかんがみ、次世代育成支援対策に関し、基本理念を定め、並びに国、地方公共団体、事業主及び国民の責務を明らかにするとともに、行動計画策定指針並びに地方公共団体及び事業主の行動計画の策定その他の次世代育成支援対策を推進するために必要な事項を定めることにより、次世代育成支援対策を迅速かつ重点的に推進し、もって次代の社会を担う子どもが健やかに生まれ、かつ、育成される社会の形成に資することを目的とする。

法律　**次世代育成支援対策推進法　1条**

覚えたかな？

ここでCheck！

まずはそのまま、次は赤シートで隠して、色字のキーワードを確認しよう。

- □ **1** 児童相談所に寄せられる相談で、最も多いのは養護相談、次いで障害相談、育成相談となっており、近年、養護相談の増加がみられる。

- □ **2** 児童相談所の所長は、被虐待児童が管轄区域外に移転する場合は、移転先を管轄する児童相談所の所長に対し、速やかに必要な情報の提供を行う。

- □ **3** 子ども・子育て支援法では、保育所・幼稚園・認定こども園への給付は「施設型給付」、小規模保育等への給付は「地域型保育給付」の対象である。

- □ **4** 14歳以上で刑罰法令に触れる行為をした少年を犯罪少年といい、14歳に満たない少年で刑罰法令に触れる行為をした少年を触法少年という。

- □ **5** 病児保育事業は、「病児対応型」「病後児対応型」「体調不良児対応型」「非施設型（訪問型）」「送迎対応」の5つの事業類型がある。

- □ **6** 児童憲章には児童が人として尊ばれ、社会の一員として重んぜられ、よい環境のなかで育てられることが定められている。

4章

社会福祉

この科目は、学習範囲が広く、内容も多岐にわたります。全体の内容を押さえた上で、過去の試験でよく出題されている項目とそれらに関連する項目を重点的に学習することが高得点につながります。

社会福祉の重要ポイント

Point 1 社会福祉の理念

ノーマライゼーション	デンマークの知的障害者運動としてスタートした理念。障害の有無や高齢であるないにかかわらず、誰もが地域において、差別されず、普通の生活を営むことができる社会の実現を目指す考え方。ニイリエ やバンク＝ミケルセン、ボルフェンスベルガーなどによる定義がある。
ソーシャル・インクルージョン	「社会的包摂」と訳される。すべての人が必要な支援を受けながら地域で一緒に暮らすという考え方。共生と多様性の尊重を前提に、社会の構成員として包み支えあう社会を目指すことである。
エンパワメント	個人や集団が持っている潜在的な力を引き出したり、強めたりしていくことをいう。支援を必要としている人たちが、自分自身の力で課題解決できるように支えていくことをエンパワメントアプローチという。社会的に弱い人への支援だけではなく、子どもや保護者への支援を行う際にも重要な視点となる。
ユニバーサルデザイン	「バリアフリー」という用語が既存のバリアの除去というイメージがあるのに対して、あらかじめバリアのない、すべての人に使いやすい状態の製品、環境、情報を意味する。ユニバーサルデザインの提唱者であるロン・メイスは、基本的な考え方として、7つの原理を示している。
ナショナルミニマム	国が社会保障その他によって国民に保障する最低生活水準をいう。
アドボカシー	福祉分野においては、権利擁護や代弁機能の意味として用いられている。

かくにん
社会福祉関連の人物等については
➡ 3章 子ども家庭福祉 p.89 で**確認**！

Point 2 諸外国の社会福祉の歴史の主な出来事

1601年	エリザベス救貧法（エリザベス１世）
1834年	新救貧法（劣等処遇の原則）
1869年	慈善組織協会（COS）設立
1897年	ウェッブ夫妻『産業民主制論』（ナショナルミニマム論を展開）
1942年	ベヴァリッジ報告（貧困を生み出す「5大悪（貧困、無知、不潔、失業、疾病）」に対する新たな総合的社会保障システムの提案）
1946年	イギリス首相チャーチルによる「ゆりかごから墓場まで」演説
1980年代	レーガン、サッチャーなどによる新保守主義（「小さな政府」）誕生

Point 3 主な社会福祉機関と根拠法

行政機関	福祉事務所	社会福祉法：設置義務は都道府県、市、特別区
	児童相談所	児童福祉法：設置義務は都道府県、指定都市
	身体障害者更生相談所	身体障害者福祉法：設置義務は都道府県
	知的障害者更生相談所	知的障害者福祉法：設置義務は都道府県
	女性相談支援センター＊	困難な問題を抱える女性支援法：設置義務は都道府県
民間	社会福祉協議会	社会福祉法：地域福祉推進の中核機関
センター	地域包括支援センター	介護保険法：保健師、社会福祉士、主任介護支援専門員を配置
	配偶者暴力相談支援センター	配偶者暴力防止法（DV防止法）：主に女性相談支援センター＊が配偶者暴力相談支援センターとしての機能を果たす

＊2024（令和6）年4月より婦人相談所は「女性相談支援センター」へと名称変更された。

Point 4 社会福祉法人

所轄庁	原則として、その主たる事務所の所在地の都道府県知事である。社会福祉法人が行う事業が複数の地方厚生局の管轄区域にわたる場合には、厚生労働大臣である
事業内容	経営する社会福祉事業に支障がない限り、公益事業または収益事業を行うことができる
役員	2017（平成29）年4月1日施行の社会福祉法の改正で、理事は3人以上から6人以上に、監事は1人以上から2人以上に変更となった。任期は最長2年である。改正で必置となった評議員は、理事の員数を超える数を置かなければならず、任期は選任後4年以内である

Point 5 保護の種類とその支給方法・範囲

生活保護制度で支給される保護（扶助）のうち、医療扶助と介護扶助以外のものは、原則として金銭給付によって行われる。なお、生活保護が必要な場合には、福祉事務所に申請する。

種　類	支給方法	支給範囲
生活扶助	金銭給付	衣食に必要なもの、移送　など
教育扶助	金銭給付	義務教育に必要な教科書、学校給食、義務教育に必要な通学用品　など
住宅扶助	金銭給付	家賃や住宅の補修　など
医療扶助	現物給付	診察、薬剤・治療材料、手術、病院や診療所への入院、移送　など
介護扶助	現物給付	居宅介護、福祉用具、住宅改修、施設介護、介護予防、移送　など
出産扶助	金銭給付	分べんの介助、脱脂綿・ガーゼ　など
生業扶助	金銭給付	生業に必要な資金・器具・資料、就労のために必要なもの　など
葬祭扶助	金銭給付	検案、死体の運搬、納骨　など

Point 6 社会福祉基礎構造改革

1951（昭和26）年の社会福祉事業法制定以来、大きな改正の行われていない社会福祉事業や社会福祉法人について、福祉サービスに対する需要の多様化、家庭の生活保持機能の低下を背景に、2000（平成12）年に社会福祉基礎構造改革が行われた。

社会福祉基礎構造改革の要点

①社会福祉事業法から社会福祉法への改称
②身体障害者福祉法、知的障害者福祉法、児童福祉法、民生委員法、社会福祉施設職員等退職手当共済法、老人福祉法、生活保護法の一部改正
③公益質屋法の廃止
④福祉サービスの措置制度から利用者本位の利用制度への転換

Point 7 近年の少子高齢化の施策と動向

1990（平成２）年	1.57ショック（1.57の数値は1989年）
1994（平成６）年	エンゼルプランの策定
1999（平成11）年	新エンゼルプランの策定
2000（平成12）年	児童虐待防止法、介護保険制度の施行
2001（平成13）年	待機児童ゼロ作戦の策定
2003（平成15）年	少子化社会対策基本法の制定 次世代育成支援対策推進法の制定
2004（平成16）年	子ども・子育て応援プランの策定
2006（平成18）年	高齢者虐待防止法の施行
2007（平成19）年	仕事と生活の調和（ワーク・ライフ・バランス）憲章の策定
2008（平成20）年	新待機児童ゼロ作戦の策定
2009（平成21）年	育児介護休業法改正
2010（平成22）年	子ども・子育てビジョンの策定
2012（平成24）年	子ども・子育て関連3法の公布、高齢社会対策大綱閣議決定
2013（平成25）年	待機児童解消加速化プラン策定
2015（平成27）年	子ども・子育て支援新制度施行
2019（令和元）年	改正子ども・子育て支援法施行
2021（令和３）年	育児介護休業法改正
2022（令和４）年	こども基本法制定、こども家庭庁設置法制定
2023（令和５）年	こども大綱
2024（令和６）年	子ども・子育て支援法改正案閣議決定

Lesson 1 社会福祉の理念と概念

問1 社会福祉における相談援助は、福祉サービスを必要とする人のニーズをふまえ、利用者主体で問題解決が図られる。

問2 社会福祉における自立支援は、障害者福祉の分野に限らず、高齢者福祉、児童家庭福祉の分野にも共通の理念と考えられている。

問3 社会福祉における社会資源とは、社会福祉制度あるいは公的な福祉サービスを意味しており、家族による支援などは含まれない。

問4 ソーシャル・エクスクルージョンという考えのもと、社会的弱者や様々な生活課題を抱える人に対応していく必要がある。

でる
問5 ノーマライゼーションには、知的障害児の知的機能を高めるために発達を保障するという意味がある。

問6 今日では、公的な福祉サービスだけでは対応できない福祉課題が発生しており、共助や自助の役割が論じられるようになっている。

でる
問7 2001（平成13）年5月にWHO総会で採択された「国際生活機能分類」（ICF）では、生活を機能的に分類している。

1回目 /7点　2回目 /7点

答1 ○
相談援助では、利用者のニーズをアセスメントし、受容・共感・傾聴しながら社会資源を結び付ける働きをする。

答2 ○
障害者福祉分野では障害者基本法、高齢者福祉分野では介護保険法、児童家庭福祉分野では児童福祉法などにおいて、自立支援が規定されている。

答3 ×
公的な機関や専門職による制度に基づいたサービス・支援などのフォーマルな社会資源と、家族や近隣住民などのインフォーマルな社会資源がある。

答4 ×
ソーシャル・エクスクルージョンは、社会的排除を意味する。支援はソーシャル・インクルージョン（社会的包摂）の考えのもと立案・展開される。

答5 ×
障害児の機能を高めるのではなく、誰もが暮らしやすい社会・環境の整備を意味し、脱施設化やソーシャル・インクルージョンの考え方に通じる。

答6 ○
社会福祉基本構想懇談会により、福祉課題解決に向けた形態（役割）として「自助」「共助」「公助」が提起された。

答7 ×
「国際生活機能分類」（ICF）は、健康の構成要素に関する分類であり、生活機能モデルを共通の考え方として生きることを捉えようとする。

Lesson 2

社会福祉の歴史的変遷

問1 1874（明治7）年、血縁や地縁などの無い窮民に対してのみ公的救済を行う「恤救《じゅっきゅう》規則」が制定された。

でる 問2 虐待防止に関する法律の成立順は、「児童虐待防止法」「配偶者暴力防止法」「高齢者虐待防止法」「障害者虐待防止法」である。

問3 子どもの貧困対策法を踏まえて成立した「子供の貧困対策に関する大綱」により39の指標が示され、5つの重点施策が示されている。

でる 問4 イギリスで行われた貧困調査は、貧困原因として酒やギャンブル、浪費癖などの個人的要因によるところが大きいことを示した。

でる 問5 ノーマライゼーションは、デンマークの1959年法においてはじめて法律上導入された。

問6 ベヴァリッジ報告では、貧困を生み出す「5つの巨人」として、貧窮、疾病、無知、不潔、怠惰が示された。

問7 福祉三法とは、生活保護法、児童福祉法、身体障害者福祉法のことである。

答1 ○

「恤救規則」では、救済の責任は、本来、血縁や地縁などの人民相互の情《じょう》誼《ぎ》（義理など）によって行うべきであると示されたため、救済の対象は限定されていた。

答2 ○

成立年は、「児童虐待防止法」2000（平成12）年、「配偶者暴力防止法」2001（平成13）年、「高齢者虐待防止法」2005（平成17）年、「障害者虐待防止法」2011（平成23）年である。

答3 ×

「教育の支援」「生活の安定に資するための支援」「保護者に対する職業生活の安定と向上に資するための就労の支援」「経済的支援」の4つである。

答4 ×

ブースのロンドン調査、ラウントリーのヨーク調査によって、貧困の背景は、労働条件、病気、多子など、社会・経済的要因が大きいことがわかった。

答5 ○

ノーマライゼーションは、デンマークのバンク=ミケルセンによって提唱された。

答6 ○

ベヴァリッジ報告では、貧困を生み出す5つの要因に対して、新たな総合的社会保障システムの提案がなされた。

答7 ○

福祉三法に知的障害者福祉法（旧精神薄弱者福祉法）、老人福祉法、母子及び父子並びに寡婦福祉法（旧母子福祉法）を加えたものが福祉六法である。

Lesson 3

社会福祉法人

でる

問1

社会福祉法人は、公共性を担保するため収益事業を行うことは認められていない。

問2

社会福祉法人は、非営利法人であるため、社会福祉法人の認可と併せて、特定非営利活動法人としての認証も得なければならない。

問3

2020（令和2）年の社会福祉法改正では、相互の業務連携を推進する社会福祉連携推進法人制度が創設された。

でる

問4

共同募金は、社会福祉法人でなくても公益法人であれば実施できる。

問5

社会福祉法人には、福祉サービスの供給体制の整備および充実を図ることが求められる。

問6

国または地方公共団体は、通常の条件よりも当該社会福祉法人に有利な条件で、貸付金を支出したり財産を譲り渡したりすることができる。

でる

問7

社会福祉法人の監事は、その法人の役員や職員を兼ねることができる。

1回目 /7点　2回目 /7点

答1 ×
社会福祉法人は、経営する社会福祉事業に支障がない限り、公益事業または収益事業を行うことができる。

答2 ×
社会福祉法人は、社会福祉事業を行うことを目的として社会福祉法に基づき設立された法人である。特定非営利活動法人の認証を得る必要はない。

答3 ○
地域住民の複雑化・複合化した支援ニーズに対応する包括的な福祉サービス提供体制を整備する観点から、社会福祉連携推進法人制度が創設された。

答4 ×
共同募金事業を行うことを目的として設立される社会福祉法人を共同募金会と称している。同会以外の者は、共同募金事業を行うことができない。

答5 ○
昨今、社会福祉法人には、福祉サービスの供給体制の整備および充実を図るために、これまで以上に経営組織の強化に努めることが求められている。

答6 ○
正しい。そのため、厚生労働大臣または地方公共団体の長は、助成の目的が有効に達せられることを確保するために、事業や会計状況の報告等を行わせる権限を持っている。

答7 ×
社会福祉法人の監事は、理事または当該社会福祉法人の職員を兼ねることができない（兼職禁止）。

Lesson 4 福祉行政計画

問1 地域福祉計画は自立生活支援という視点から、都道府県が策定する福祉行政の計画である。

問2 老人福祉法に基づく老人福祉計画には、老人福祉施設の整備に関する事項が盛り込まれている。

でる
問3 市町村は、基本指針に即して、3年を1期とする市町村子ども・子育て支援事業計画を定める。

問4 市町村子ども・子育て支援事業計画を定める、または変更するときは、インターネットを利用して住民の意見を求めることを認めている。

問5 市町村介護保険事業計画は、市町村老人福祉計画と調和が保たれたものでなければならない。

問6 障害者施策に関する基本的な計画として、都道府県にあっては都道府県障害者計画を、市町村にあっては市町村障害者計画が義務づけられている。

問7 市町村障害福祉計画では、各年度における指定障害福祉サービス、指定地域相談支援または指定計画相談支援の種類ごとの必要量の見込みを定める。

答1 ×
社会福祉法で**市町村**には「地域福祉計画」の策定が、**都道府県**には「地域福祉支援計画」の策定が定められている。

答2 ○
都道府県老人福祉計画と市町村老人福祉計画があり、都道府県老人福祉計画には、**老人福祉施設**の整備のために講じる措置に関する事項がある。

答3 ×
5年を1期とする。同計画では教育・保育提供区域ごとにおける各年度の特定教育・保育施設に係る**必要利用定員総数**などの事柄を定めている。

答4 ○
市町村には、インターネットその他の内閣府令で定める方法によって、**広く住民の意見を求めて反映させる**ための措置を講ずる努力義務がある。

答5 ×
市町村地域福祉計画と調和が保たれたものでなければならず、さらに**市町村老人福祉計画**と一体のものとして作成されなければならない。

答6 ○
2004（平成16）年の障害者基本法の改正により、**計画策定**が義務化された。

答7 ○
他に、**障害福祉サービス**、相談支援及び地域生活支援事業の提供体制の確保に係る目標に関する事項なども定めている（障害者総合支援法第88条2項）。

Lesson 5

社会保障制度

でる 問1 社会保障制度には、社会保険として医療保険、年金保険、雇用保険、労働者災害補償保険、介護保険がある。

問2 2021（令和3）年6月に改正された育児・介護休業法では、育児休業の分割取得が規定された。

でる 問3 遺族基礎年金は、子の有無にかかわらず支給される。

問4 育児休業の際に支給される育児休業給付金は、健康保険法に定められている。

問5 二次健康診断等給付は、健康保険制度によって行われる。

でる 問6 生活困窮者自立支援法における支援の対象者は、生活保護受給者および、生活保護に至る可能性のある者で、自立が見込まれる者である。

でる 問7 公的年金制度の被保険者は、18歳以上65歳未満の者である。

1回目　/7点　2回目　/7点

答1 ◯

社会保険は社会保障の一つで、疾病や事故、障害などの生活上のリスクに対して、保険料を負担することで、国民が相互に助け合う制度である。

答2 ◯

他に、「育児休業の取得の状況の公表の義務付け」や「有期雇用労働者の育児・介護休業取得要件の緩和」などが規定された。

答3 ×

支給対象となるのは、死亡した者によって生計を維持されていた「①18歳未満の子のいる配偶者」、あるいは「②18歳未満の子」に限られる。

答4 ×

雇用保険法に定められている。被保険者が、原則1歳未満の子を養育するために休業をした場合に、それ以前2年間にみなし被保険者期間が通算12か月以上あるときに支給される。

答5 ×

労働者災害補償保険制度によって行われるものであり、他に業務災害及び通勤災害に関する保険給付、社会復帰促進等事業等がある。

答6 ×

生活困窮者自立支援法における支援の対象者は、現在生活保護を受給していないが、生活保護に至る可能性のある者で、自立が見込まれる者である。

答7 ×

国民年金制度の加入者は、日本国内に住所を有する20歳以上60歳未満の者である。老齢年金を受け取るために必要な資格期間は10年である。

Lesson 6

社会福祉の実施機関

でる 問1 福祉事務所は、都道府県と市町村に設置が義務付けられている。

問2 生活保護の実施機関は、居住する自治体（市町村）の福祉事務所である。

でる 問3 市町村は、児童福祉法に基づき児童相談所を設置しなければならない。

問4 身体障害者手帳を交付するのは、一般的な都市においては、市町村長である。

問5 社会福祉協議会は、福祉六法に定める援護、育成または更生の措置に関する事務を司る第一線の社会福祉行政機関である。

問6 女性相談支援センターは、市には設置が義務付けられているが、町村の設置は任意とされている。

でる 問7 女性相談支援センターは、配偶者暴力相談支援センターとしての機能を果たす。

1回目 /7点　2回目 /7点

答1 ×

こども家庭センターは、地域の社会資源や必要なサービスと有機的につないでいくソーシャルワークの中心的な役割を担う。一時保護は、児童相談所の機能の一つである。

答2 ×

児童指導員の業務内容は、施設の種別により若干異なることもあるが、個別支援計画の作成、就労指導（自立支援）、関係機関との連絡調整などである。

答3 ×

民生委員法に規定されている無給のボランティアである（任期3年）。児童委員を兼ねており、都道府県知事の推薦によって厚生労働大臣が委嘱する。

答4 ×

保育士は、名称独占の国家資格である。保育士でない者は、保育士または紛らわしい名称を使用してはならない（規定違反者は罰金に処せられる）。

答5 ×

社会福祉士は、名称独占の国家資格ではあるが、業務独占ではない。

答6 ○

社会福祉士及び介護福祉士法に基づき、介護福祉士は、保健師助産師看護師法の規定にかかわらず診療の補助として喀痰吸引等を行うことができる。

答7 ×

家庭裁判所は、父母による親権の行使が困難または不適当である場合に、2年以内の期間を定めて親権停止の審判をすることができる。

Lesson 8

社会福祉の法律と制度

でる

問1 障害者総合支援法における障害支援区分の認定は、市町村が行う。

問2 障害者総合支援法は、障害福祉サービスの充実等、日常生活や社会生活を総合的に支援するため創設され、障害児通所支援等の障害児への福祉サービスを含んでいる。

問3 生活困窮者自立支援法では、生活困窮者に対する支援の種類、内容などを記載した個別の支援計画を作成する事業を規定している。

問4 行動上著しい困難を有する知的障害者が外出時に利用する障害福祉サービスは、「行動援護」である。

問5 通常の事業所に雇用されることが困難な障害者に生産活動の機会の提供を行うのは、「就労移行支援」である。

問6 子どもの貧困対策の推進に関する法律は、2000（平成12）年に策定された。

でる

問7 介護保険制度は、高齢化や核家族化の進行、介護離職問題などを背景に、介護を社会全体で支えることを目的として2000（平成12）年に創設された。

1回目 /7点　2回目 /7点

答1 ○

市町村は、**障害支援区分**の認定や支給要否決定を行うために、申請に係る障害者等やその保護者に**面接**を行い、心身の状況などの事項を調査する。

答2 ×

障害児通所支援等の障害児への福祉サービスは、2012（平成24）年に**児童福祉**法へ根拠規定が一本化された。

答3 ○

「**生活困窮者自立相談支援事業**」の説明である。この他にも、家計相談に応じる事業、認定生活困窮者就労訓練事業の利用斡旋を行う事業等がある。

答4 ○

「行動援護」とは、行動上著しい困難を有する障害者等が行動する際に**危険を回避**するために必要な援護や、**外出時の介護**などを行うものである。

答5 ×

「**就労継続支援**」の説明である。「就労移行支援」とは、一般就労等を希望する障害者に対して就労に必要な**知識**及び**能力**の訓練等を行うものである。

答6 ×

子どもの貧困対策の推進に関する法律（**子どもの貧困対策法**）は、2013（平成25）年に策定された。2000（平成12）年は、**児童虐待防止法**である。

答7 ○

介護保険制度は、**社会全体**で介護を支えることを目的に創設された。

Lesson 9 相談援助の基礎と実際（1）

でる
問1 2003（平成15）年の児童福祉法改正に伴い保育士の業務は、「児童の保育」であることが明記された。

問2 ソーシャルインクルージョンとは、社会的に排除されやすい人々と地域の中で支え合い、助け合いながら暮らしていく考え方である。

でる
問3 アセスメントは、利用者のニーズの全体像をまとめることが目的であり、利用者が利用できる社会資源の評価は行わない。

でる
問4 相談支援の過程は、インテーク→アセスメント→プランニング→インターベンション→モニタリング→エバリュエーション→ターミネーションの順で進んでいく。

でる
問5 スーパービジョンは、スーパーバイジーがスーパーバイザーに対して、能力を最大限にいかした実践ができるよう指導する方法である。

でる
問6 利用者への相談支援の場面で、利用者は問題や課題に埋没し、状況判断が難しくなっているため、専門職が解決してあげる必要がある。

問7 相談援助の展開過程の「インテーク」では、相談者から発せられた非言語的表現を受けとめ、分析しながら支援を進めていく。

答1 ×

児童福祉法第18条の4に、「児童の保育及び児童の保護者に対する保育に関する指導を行う」こと（ソーシャルワーク）が明記されている。

答2 ○

ソーシャルインクルージョンは、貧困や障害等の状況によって社会から排除されている（排除されやすい）人々の社会参加を促進する考え方である。

答3 ×

アセスメントにおいては、利用者が利用できる（している）社会資源の評価を行うほか、身体的状況、精神的状況、家族関係、近隣関係の把握等を行う。

答4 ○

インテーク（初回・受理面接）に始まり、アセスメント（事前評価、課題の明確化）と進み、経過を観察（モニタリング）、事後評価（エバリュエーション）、必要なら再アセスメントが求められる。

答5 ×

スーパービジョンは、指導者であるスーパーバイザーが、指導を受けるスーパーバイジーに対して、指導する方法である。

答6 ×

専門職は、利用者に本当に必要なことを判断し、アドバイスなどを行うが、問題解決のための判断や決断は利用者自身が行うことが大切である。

答7 ○

面接中の態度や表情、声のトーンなどに目を配り、相談者の本音や言葉に耳を傾けることが重要である。

Lesson 10

相談援助の基礎と実際（2）

でる
問1 エンパワメントとは、支援を必要とする人の弱みの部分に着目して支援を展開していくことである。

問2 ソーシャルワークの定義に、「社会変革と社会開発、社会的結束、および人々のエンパワメントと解放を促進する、実践に基づいた専門職であり学問である」という記述がある。

でる
問3 バイステックの7原則は、個別化、意図的な感情表出、統制された情緒的関与、受容、非審判的態度、自己決定、情報開示である。

問4 エンパワメントとは、利用者のニーズを代弁することによって、権利擁護を図ることである。

問5 パールマンは、ソーシャル・ケースワークは①人、②問題、③場所、④過程の4つの要素から構成されるとした。

問6 グループワークの展開過程は、一般的に①準備期、②開始期、③作業期、④終結期である。

問7 ソーシャルワークの社会資源として、家族、親戚、知人、近隣住民、ボランティアなどのインフォーマルな社会資源がある。

答1 ×
エンパワメントは、潜在化した能力を発揮できる機会を作るよう支援することで、その際、ストレングス（その人の強み）に着目する。

答2 ○
2014（平成26）年、メルボルンにおける国際ソーシャルワーカー連盟（IFSW）総会及び国際ソーシャルワーク学校連盟（IASSW）総会で、定義を採択した。

答3 ×
情報開示ではなく、秘密保持である。

答4 ×
アドボカシーに関する記述である。エンパワメントとは、利用者の持つ能力に着目し、その能力を引き出すよう支援することである。

答5 ○
パールマンは、アメリカのソーシャルワーク研究者であり、問題解決アプローチを提唱した。

答6 ○
グループワークでは、グループダイナミクスの視点を活かして支援を展開していく。

答7 ○
フォーマル（公的）な社会資源として、行政や社会福祉法人によって提供されるサービスがある。

Lesson 11 福祉サービスの第三者評価事業

でる
問1
乳児院、児童養護施設、母子生活支援施設、児童心理治療施設、児童自立支援施設はいずれも毎年度、自己評価を行わなければならない。

問2
サービス評価制度には、自己評価と第三者評価があり、後者は利用者の生活の質（QOL）の向上に寄与したかどうか、そのサービスの質を評価点検する。

でる
問3
第三者評価機関は、市町村に設置された第三者評価機関認証委員会の認証を受ける必要がある。

でる
問4
公益法人は、第三者評価機関として認証を受けることができない。

問5
国は、福祉サービスの質の向上を支援するため、福祉サービス第三者評価事業の普及促進等について指針を定めている。

でる
問6
都道府県推進組織は、福祉サービス第三者評価結果の公表ガイドラインに基づき、福祉サービスの第三者評価事業結果を公表する。

でる
問7
児童自立生活援助事業（自立援助ホーム）における第三者評価の受審は、努力義務である。

答1 ○ 記述の施設（社会的養護関係施設）では、自己評価（毎年）と第三者評価（3年に1度以上）が2012（平成24）年度から義務化されている。

答2 ○ 第三者評価の目的は、「提供するサービスの質」を評価し、「事業運営における具体的な問題点」を把握すること、サービスの質の向上に結びつけることである。

答3 × 社会福祉サービスの第三者評価を行う第三者評価機関は、都道府県推進組織に設置された第三者評価機関認証委員会の認証を受ける必要がある。

答4 × 公益法人やNPO法人、株式会社等の営利法人は、第三者評価機関として認証を受けることができる（原則として法人形態は問わない）。

答5 ○ 福祉サービス第三者評価事業に関する指針により、福祉サービスの質の向上を目指している。

答6 ○ 都道府県推進組織は、第三者評価機関からの報告を受けてその結果を公表する。なお、事業所の同意を得ていない場合、結果は公表しない。

答7 ○ 同事業（同ホーム）については、児童福祉法施行規則第36条の23により、第三者評価の受審は、努力義務である。

Lesson 12

苦情解決制度

でる
問1 保育所における苦情解決は、児童福祉法において定められている。

でる
問2 サービス提供者は、事業所内で受け付けた苦情に関して、内容や解決結果を運営適正化委員会に必ず報告しなければならない。

問3 社会福祉法において、社会福祉事業の経営者には利用者等からの苦情の解決を自主的に行うことが求められる。

問4 運営適正化委員会は、苦情に係る利用者の処遇についての不当な行為が行われている恐れがある場合は、市町村長にその旨を通知する。

問5 社会福祉法では、利用者等からの苦情の適切な解決に努めることが定められている。

問6 運営適正化委員会は、社会福祉、法律または医療に関して、学識経験を有する者で構成される。

でる
問7 苦情を第三者的立場から適切に解決するため、社会福祉法では、都道府県社会福祉協議会に運営適正化委員会の設置が定められている。

1回目 /7点　2回目 /7点

答1 ×

児童福祉法に規定はない。保育所の苦情解決は、「**社会福祉法**」「**保育所保育指針**」「児童福祉施設の設備及び運営に関する基準」で触れられている。

答2 ×

苦情内容や結果の**報告**義務はない。**運営適正化委員会**に苦情解決の申し出があったときは、その相談に応じ、事情を調査することになる。

答3 ○

事業者は、苦情受付担当者、苦情解決責任者、第三者委員といった**苦情解決の体制を整える**必要がある。

答4 ×

不当な行為が行われている恐れがある場合には、**都道府県知事**にその旨を通知することによって福祉サービスの利用者の権利を擁護する。

答5 ○

社会福祉法の第82条において定められている。社会福祉事業者の苦情解決体制としては、苦情解決責任者は責任主体を明確にするために**施設長**や**理事**等から任命する。

答6 ○

人格が高潔であり、社会福祉に関する識見を有する者とされている。

答7 ○

福祉サービスに関する苦情解決の申し出があった場合にその事情を**調査**し、福祉サービス利用援助事業を行う者に対し必要な**助言**をすることもある。

Lesson 13

情報提供

でる 問1 社会福祉事業者が提供する福祉サービスについて広告する際、利用者の誤解を招くような誇大広告は禁止されている。

問2 国および地方公共団体は、福祉サービスを利用しようとする者に対し、必要な情報を提供する必要はない。

でる 問3 国、地方公共団体は独自に情報提供体制を整備するとともに、WAMNET（ワムネット）とも連携して情報提供を行っている。

でる 問4 保育所は、保育所保育の意図の説明などを通じて、保護者との相互理解を図るよう努めなければならない。

でる 問5 社会福祉事業の経営者には、児童福祉施設を利用した場合のみ、利用契約成立時の書面（重要事項説明書）の交付を義務付けている。

問6 保育所は、地域住民に対して、保育内容に関する情報を提供するよう努めなければならない。

問7 社会福祉事業の経営者は、福祉サービスの利用希望者から申込みがあった場合には、利用や履行に関する説明を行う義務がある。

1回目 /7点　2回目 /7点

答1 ◯
社会福祉法では、広告について、著しく事実と異なるまたは実際よりも優良もしくは有利であると誤認させるような表示を禁じている。

答2 ×
国や地方公共団体は、サービス利用者が必要な情報を容易に得られるように努めなければならない。

答3 ◯
WAMNET（ワムネット）は福祉保健医療関連の総合情報サイトで、サービス提供機関に関する情報や各種福祉制度、取組み事例などを公表している。

答4 ◯
保育所保育指針に示されている。保育所には、日常の保育に関連した様々な機会を活用して、保護者との相互理解を図る努力義務がある。

答5 ×
社会福祉事業の経営者は、福祉サービスを利用するための契約が成立したときは、利用者に対して遅滞なく、サービス内容などを記載した書面を交付しなければならない。

答6 ◯
児童福祉法第48条の4の通り。加えて、その行う保育に支障がない限りにおいて、乳幼児等の保育に関する相談に応じ助言を行う努力義務がある。

答7 ×
社会福祉法において、福祉サービスを利用するための契約内容及びその履行に関する事柄についての説明は、努力義務となっている。

Lesson 14 権利擁護制度

でる
問1 子どもの権利は、1989（平成元）年に国連総会で採択され、1994（平成6）年に日本で批准された「児童の権利に関する条約」に示され、児童福祉法にもそれは規定されている。

問2 児童憲章には、「児童は、人として尊ばれる。児童は、社会の一員として重んぜられる。児童は、よい環境の中で育てられる。」と記している。

でる
問3 日常生活自立支援事業の実施主体は、原則として市区町村社会福祉協議会である。

でる
問4 日常生活自立支援事業は幅広い役割を担い、例えば、預金通帳の預かりサービス、預金の入出金などのサービスが含まれる。

でる
問5 法定後見制度では、被後見人自らの選択によって、後見、保佐、補助のいずれかを決定する。

問6 「子供の貧困対策に関する大綱」は重点施策として、教育の支援、生活の支援、保護者に対する就労の支援、経済的支援等をあげている。

問7 障害者を雇用する者から虐待を受けた障害者は、その旨を都道府県に届け出ることができる。

1回目 /7 点　2回目 /7 点

答1 ○
2016（平成28）年に改正された児童福祉法第1条に、「児童の権利に関する条約の精神」が明記されている。

答2 ○
児童憲章は、3つの原則と12の条例からなり、児童憲章の後、1959（昭和34）年に児童の権利宣言が、国連で採択された。

答3 ×
日常生活自立支援事業の実施主体は、都道府県社会福祉協議会・指定都市社会福祉協議会である（窓口業務等は市町村社会福祉協議会等が担う）。

答4 ○
預金通帳の預かり、預金の払い戻し・預け入れの手続などの日常生活費の管理（日常的金銭管理）は、日常生活自立支援事業が担える行為である。

答5 ×
法定後見制度は判断能力が十分でない人を対象とする仕組みであり、家庭裁判所が本人の判断能力に応じて後見、保佐、補助のいずれかを決定する。

答6 ○
同大綱は、「全ての子供たちが夢と希望を持って成長していける社会の実現を目指し、子供の貧困対策を総合的に推進する」ことを目指し策定された。

答7 ○
雇用する者から障害者虐待を受けた障害者は、その旨を市町村または都道府県に届け出ることができる。

Lesson 15

社会福祉の動向

でる 問1 少子高齢化による人口構造や雇用基盤の変化などにより社会経済情勢が変化し、社会保障制度は全世代対応型の制度へ転換した。

でる 問2 介護保険の導入に伴い、社会福祉サービスはすべて契約制度になった。

問3 1994（平成6）年、子ども・子育て支援法が改正され、仕事・子育て両立支援事業が創設された。

でる 問4 障害者自立支援法の利用者負担は当初応益負担であったが、障害者総合支援法に改められた現在は応能負担を原則としている。

問5 1961（昭和36）年の国民年金の創設によって、自営業者なども年金制度の対象に加えられ、国民皆年金が整えられた。

問6 児童発達支援や保育所等訪問支援等の障害児への支援は、障害者総合支援法によって規定されている。

でる 問7 福祉サービスの契約制度は、1997（平成9）年に保育所入所が、行政措置から市町村との利用契約に改正されたことに始まる。

答1 ○
受益と負担の均衡がとれた「持続可能な社会保障制度の確立を図るための改革の推進に関する法律」が、2013（平成 25）年に成立した。

答2 ×
介護保険の導入に伴い高齢者への福祉サービスなどに契約制度が導入されたが、児童福祉における社会的養護においては措置制度をとっている。

答3 ×
子ども・子育て支援法は、2015（平成27）年に施行し、翌年の2016（平成28）年に改正され、仕事・子育て両立支援事業が創設された。1994（平成6）年には、エンゼルプランが策定された。

答4 ○
2010（平成22）年の法改正で利用者負担は、利用者の負担能力に応じて徴収される応能負担に改められた。障害者総合支援法に改正された現在も、その原則を引き継いでいる。

答5 ○
国民皆年金をもって、1961（昭和36）年にすべての国民が医療保険及び年金保険に加入する「国民皆保険・皆年金」の体制が実現した。

答6 ×
2012（平成24）年の児童福祉法改正により障害児通所支援として、児童発達支援、放課後等デイサービス、保育所等訪問支援等が定められた。

答7 ○
1997（平成9）年の児童福祉法改正により、保育所入所に利用契約制度が導入され、福祉サービス利用に関わる仕組みは大きく変わることになった。

Lesson 16

地域福祉の推進

でる

問1 保育所は、地域の子育て支援の拠点としての役割も期待されている。

問2 ボランティアは、社会福祉法において、地域福祉を推進する主体として位置付けられている。

でる

問3 共同募金を募金方法別実績額でみると、戸別募金が最も多くを占めている。

問4 地域包括ケアシステムの構築のためには、多様な関係者が参加する地域ケア会議の開催が必要である。

問5 社会貢献活動の重要性が認識されて「ボランティア元年」と呼ばれた年は、1995（平成7）年である。

問6 市町村が作成した災害時の避難行動要支援者名簿について、原則本人の同意がなくても民生委員に提供できる。

問7 ヤングケアラーとは、本来、大人が担うと想定されている家事や家族の世話などを、日常的に行っている子どものことをさしている。

答1 ○
地域子育て支援拠点事業として、「**子育て親子の交流の場の提供と交流の促進**」「**子育て等に関する相談、援助**」などを実施することが、求められている。

答2 ○
社会福祉法において、ボランティアは、地域住民、社会福祉事業経営者とともに、**地域福祉の推進**に努める主体の一翼に位置付けられている。

答3 ○
2022（令和4）年度の同実績額によると、募金総額は約170億円である。このうち**戸別募金**額は約70%を占め、**街頭募金**などは少数派である（中央共同募金会「令和4年度募金実績」）。

答4 ○
他に、地域の医療・介護関係機関が連携しての包括的かつ継続的な**在宅医療・介護**の提供、重層的な**生活支援体制**の確保なども重要である。

答5 ○
1995（平成7）年の阪神・淡路大震災では、大勢のボランティアが全国から駆けつけたことから、「**ボランティア元年**」と呼ばれている。

答6 ×
市町村長は必要な範囲で、民生委員、消防機関等に対し避難行動要支援者名簿の情報を提供できる（**条例**に定めがある場合を除き**本人の同意**が必要）。

答7 ○
家族のケアを子どもがしているため、その責任や負担の重さにより、**学業**や**友人関係**などに影響が出てしまうことがある。

覚えたかな？ ここでCheck!

まずはそのまま、次は赤シートで隠して、色字のキーワードを確認しよう。

- □ **1** 社会資源は、制度化されたサービス・支援などのフォーマルなものと、家族や近隣住民などのインフォーマルなものがある。
- □ **2** 福祉事務所は、都道府県と市（特別区含む）に設置義務があり、町村の設置は任意である。
- □ **3** 民生委員の任期は3年で、都道府県知事の推薦をもって厚生労働大臣が委嘱する。
- □ **4** 相談支援の展開過程は、インテーク→アセスメント→プランニング→インターベンション→モニタリング→エバリュエーション→ターミネーションの順で進んでいく。
- □ **5** 社会的養護関係施設では、3年ごとに1回以上の第三者評価の受審（毎年の自己評価）が義務付けられている。
- □ **6** 法定後見制度は、判断能力が十分でない人を対象とする仕組みで、家庭裁判所が本人の判断能力に応じて、後見、保佐、補助のいずれかを決定する。

5章

教育原理

保育は養護と教育が一体化されたものです。そのため、子どもが主体性を持って社会を変革させていく力を養うことも保育の重要な役割となります。教育の思想や歴史的変遷、制度、実践、さらには生涯学習社会における教育の理念や現代教育の諸問題、関係法令など多角的な視点から学習することが求められます。

教育原理の重要ポイント

Point 1 教育に関わる歴史的人物

人物名	主な功績や著書など
コメニウス	『大教授学』『世界図絵』
ルソー	『エミール』『社会契約論』『人間不平等起源論』
ペスタロッチ	『シュタンツ便り』『リーンハルトとゲルトルート』
ヘルバルト	教育的教授、『一般教育学』
デューイ	実験学校、『学校と社会』『民主主義と教育』
フレーベル	幼児教育の祖、恩物（教育としての玩具）、『人間の教育』
ブルーナー	「発見学習」、『思考の研究』
スキナー	「プログラム学習」
ロック	経験主義、「タブラ・ラサ（白紙）」
ノールズ	「アンドラゴジー」（andragogy）成人教育
澤柳政太郎	成城小学校、『実際的教育学』

そのほかの重要な人物 ➡ 1章 保育の心理学 p.15　2章 保育原理 p.48

ヴィゴツキー、オーエン、モンテッソーリ、倉橋惣三、貝原益軒、山本鼎、大原幽学

Point 2 日本国憲法 1946（昭和21）年制定

第13条　すべて国民は、個人として尊重される。生命、自由及び幸福追求に対する国民の権利については、公共の福祉に反しない限り、立法その他の国政の上で、最大の尊重を必要とする。

第14条　すべて国民は、法の下に平等であつて、人種、信条、性別、社会的身分又は門地により、政治的、経済的又は社会的関係において、差別されない。（略）

第25条　すべて国民は、健康で文化的な最低限度の生活を営む権利を有する。

2　国は、すべての生活部面について、社会福祉、社会保障及び公衆衛生の向上及び増進に努めなければならない。

第26条　すべて国民は、法律の定めるところにより、その能力に応じて、ひとしく教育を受ける権利を有する。

2　すべて国民は、法律の定めるところにより、その保護する子女に普通教育を受けさせる義務を負ふ。義務教育は、これを無償とする。

Point 3 教育基本法　1947（昭和22）年制定、2006（平成18）年改正

我々日本国民は、たゆまぬ努力によって築いてきた民主的で文化的な国家を更に発展させるとともに、世界の平和と人類の福祉の向上に貢献することを願うものである。我々は、この理想を実現するため、個人の尊厳を重んじ、真理と正義を希求し、公共の精神を尊び、豊かな人間性と創造性を備えた人間の育成を期するとともに、伝統を継承し、新しい文化の創造を目指す教育を推進する。ここに、我々は、日本国憲法の精神にのっとり、我が国の未来を切り拓く教育の基本を確立し、その振興を図るため、この法律を制定する。

（教育の目的）

第1条　教育は、人格の完成を目指し、平和で民主的な国家及び社会の形成者として必要な資質を備えた心身ともに健康な国民の育成を期して行われなければならない。

（教育の機会均等）

第4条　すべて国民は、ひとしく、その能力に応じた教育を受ける機会を与えられなければならず、人種、信条、性別、社会的身分、経済的地位又は門地によって、教育上差別されない。

2　国及び地方公共団体は、障害のある者が、その障害の状態に応じ、十分な教育を受けられるよう、教育上必要な支援を講じなければならない。

（略）

（家庭教育）

第10条　父母その他の保護者は、子の教育について第一義的責任を有するものであって、生活のために必要な習慣を身に付けさせるとともに、自立心を育成し、心身の調和のとれた発達を図るよう努めるものとする。

2　国及び地方公共団体は、家庭教育の自主性を尊重しつつ、保護者に対する学習の機会及び情報の提供その他の家庭教育を支援するために必要な施策を講ずるよう努めなければならない。

（幼児期の教育）

第11条　幼児期の教育は、生涯にわたる人格形成の基礎を培う重要なものであることにかんがみ、国及び地方公共団体は、幼児の健やかな成長に資する良好な環境の整備その他適当な方法によって、その振興に努めなければならない。

Point 4 学校教育法 1947（昭和22）年制定

第1章　総則

第1条　この法律で、学校とは、幼稚園、小学校、中学校、義務教育学校、高等学校、中等教育学校、特別支援学校、大学及び高等専門学校とする。

第3章　幼稚園

第22条　幼稚園は、義務教育及びその後の教育の基礎を培うものとして、幼児を保育し、幼児の健やかな成長のために適当な環境を与えて、その心身の発達を助長することを目的とする。

第24条　幼稚園においては、第22条に規定する目的を実現するための教育を行うほか、幼児期の教育に関する各般の問題につき、保護者及び地域住民その他の関係者からの相談に応じ、必要な情報の提供及び助言を行うなど、家庭及び地域における幼児期の教育の支援に努めるものとする。

第4章　小学校

第29条　小学校は、心身の発達に応じて、義務教育として行われる普通教育のうち基礎的なものを施すことを目的とする。

第38条　市町村は、その区域内にある学齢児童を就学させるに必要な小学校を設置しなければならない。ただし、教育上有益かつ適切であると認めるときは、義務教育学校の設置をもつてこれに代えることができる。

第8章　特別支援教育

第81条　幼稚園、小学校、中学校、義務教育学校、高等学校及び中等教育学校においては、次項各号のいずれかに該当する幼児、児童及び生徒その他教育上特別の支援を必要とする幼児、児童及び生徒に対し、文部科学大臣の定めるところにより、障害による学習上又は生活上の困難を克服するための教育を行うものとする。

Point 5 児童の権利に関する条約

1989（平成元）年国連採択、1994（平成6）年日本で批准

第1条　この条約の適用上、児童とは、18歳未満のすべての者をいう。ただし、当該児童で、その者に適用される法律によりより早く成年に達したものを除く。

第6条

1　締約国は、すべての児童が生命に対する固有の権利を有することを認める。

2　締約国は、児童の生存及び発達を可能な最大限の範囲において確保する。

Point 6 文部科学省通知・告示、厚生労働省通知

通知・告示年月	名称
2013（平成25）年6月	いじめ防止対策推進法の公布について*
2013（平成25）年6月	障害を理由とする差別の解消の推進に関する法律の公布について
2013（平成25）年8月	体罰根絶に向けた取組の徹底について
2017（平成29）年3月	幼稚園教育要領改訂（2018年度実施） 学習指導要領改訂（小学校2020年度実施、中学校2021年度実施）
2023（令和5）年3月	保育士による児童生徒性暴力等の防止等に関する基本的な指針について

＊**いじめ防止対策推進法**　第３条　いじめの防止等のための対策は、いじめが全ての児童等に関係する問題であることに鑑み、児童等が安心して学習その他の活動に取り組むことができるよう、学校の内外を問わずいじめが行われなくなるようにすることを旨として行われなければならない。

Point 7 代表的な幼児教育カリキュラム

カリキュラム	キーワード
レッジョ・エミリア・アプローチ（イタリア）	プロジェクト活動、表現活動の重視、アトリエリスタ（美術専門家）、ペダゴジスタ（教育専門家）、ドキュメンテーション
テ・ファリキ（ニュージーランド）	「今ここにある生活」「学びの物語 Learning Stories」
イエナ・プラン（ドイツ）	「根幹グループ」による異年齢保育、子ども同士の学び合い
モンテッソーリ・メソッド（イタリア）	「子どもの家」「敏感期」「個別活動」
森のようちえん（デンマーク）	自然という全体的な世界の中で、子どもの全面的発達を促す

Lesson 1

教育の意義と目的

でる
問1 幼稚園には、豊かな人生を切り拓き、持続可能な社会の創り手となることができるようにするための基礎を培うことが求められている。

でる
問2 児童の権利に関する条約にて「児童の年齢及び発達の程度に応じてその意見が尊重され、心身ともに健やかに育成されるよう努めなければならない」と定められている。

問3 「幅広い教養」や「真理を求める態度」は、初等教育課程から養うことが意図されているため、幼児教育においては求められていない。

問4 生きる力の基礎となる資質・能力は、幼児の遊びの中で相互につながりあって育っていくもので、総合的な指導が必要になる。

でる
問5 わが国の教育の目的には、人格の完成を目指し、平和で民主的な国家及び社会の形成者として必要な能力を備えた国民の育成がある。

問6 全ての児童の安全・安心な居場所づくりの観点から、教育と福祉の連携方策等を検討し、放課後児童クラブや放課後子供教室を計画的に整備していくことが必要である。

問7 保育者は、長期的に発達を見通した年・学期・月等の長期の指導計画と、生活に即した週・日等の短期計画を作成し、適切な指導を行う。

答1 ○

平成29年告示の幼稚園教育要領前文に記されている。前文には、幼稚園教育要領が教育課程の基準を大綱的に定めることも同時に示されている。

答2 ×

児童福祉法第2条（2017（平成29）年4月改正）において定められている。

答3 ×

教育基本法において、「幅広い知識と教養を身に付け、真理を求める態度を養い、豊かな情操と道徳心を培うとともに、健やかな身体を養うこと」（同法1章2条1号）と規定されている。

答4 ○

生きる力の基礎となる資質・能力は、「知識及び技能の基礎」「思考力、判断力、表現力の基礎」「学びに向かう力、人間性等」の3つの柱からなる。

答5 ×

教育基本法第1条には、平和で民主的な国家及び社会の形成者として必要な資質を備えた国民の育成が掲げられている。

答6 ○

「新・放課後子ども総合プラン」（平成30年9月）に記載されている。放課後子供教室については、地域住民、教育支援に関わるNPOや民間教育事業者等の参画促進が望まれる。

答7 ○

教育課程、保育の全体的な計画に基づき、子どもの発達や生活を見通し、長期的と短期的な計画を作成し、適切な指導を行うように求められている。

Lesson 2

諸外国の教育の思想と歴史的変遷（1）

でる

問1

カントは、子どもは生まれながらに「白紙（タブラ・ラサ）」であって、経験によって観念を獲得することを説いた。

でる

問2

「この教育は、自然か人間か事物によって与えられる」とは、ルソーの言葉である。

問3

スキナーは、子どもの問題解決の発達には、大人の援助で成立する段階と自主的な活動で成立する段階の2つがあり、その差異を、発達の最近接領域と位置づけた。

でる

問4

フランス革命時、公教育設置法案を提出したのは、コンドルセである。

問5

モンテッソーリの教育思想は、あまりに急進的すぎたので、彼女の出身地であるイタリアでは受け入れられなかった。

問6

ヘルバルトは、頭（知識）・手（技術）・心（宗教心）の3つの力の調和的発達を意識し、主知主義的な教育を進めた。

問7

デューイは、「為すことによって学ぶ」ことの重要性を説き、経験を通して学習すること（問題解決学習）を提唱した。

1回目 /7点　2回目 /7点

答1 ×

白紙説を唱えたのは、**ロック**である。**ロック**は、子どもが**観念**を獲得するためには、行為の**反復**による**習慣**の形成が必要だと考えた。

答2 ○

ルソーは、著作『エミール』において、教育には「**自然**の教育」「**人間**の教育」「**事物**の教育」の3種類があると述べている。

答3 ×

「**発達の最近接領域**（**ZPD**：Zone of Proximal Development）」を唱えたのは**ヴィゴツキー**で、**スキナー**が唱えたのは**プログラム学習**である。

答4 ○

同案は革命の動乱の中で成立することはなかったが後世に大きな影響を与えた。法案の元に著書『**公教育に関する五つの覚書**』では、学校制度のあり方や教育内容に言及している。

答5 ×

モンテッソーリによる、子どもが特定の時期に示す**感受性**を育てる教育思想は、**レッジョ・エミリア**の教育実践にも繋がっていった。

答6 ×

ヘルバルトは、教育の方法には、**管理**・**教授**・**訓練**の3つの**領域**があるとした。また、**教育的教授**を唱え、4つの形式的段階（**明瞭**・**連合**・**系統**・**方法**）に沿った教授法を構想した。

答7 ○

デューイは、『**学校と社会**』『**経験と教育**』などの著者。子ども自身の**経験の再構成**に注目、シカゴ大学に実験学校を設立した。

Lesson 3

諸外国の教育の思想と歴史的変遷（2）

でる

問1 エレン・ケイの著した『児童の世紀』は、「児童中心主義」の先駆けとして世界に影響を与えた。

問2 キルパトリックは、プロジェクト・メソッドと呼ばれる教育方法を提唱し、子どもに画一化された知識を教授することを目指した。

問3 子どもの道徳性の発達について、「公正さ」に基づいた道徳理論を提唱したのは、アイゼンバーグである。

問4 「近代教育学の父」とも呼ばれるコメニウスは、乳幼児期に父親と過ごすことの重要性を説いた。

問5 ペスタロッチは、人間の本性に従った「合自然性の教育」を目指した。

でる

問6 恩物とは、モンテッソーリが考案し、体系化した幼児のための遊具である。

問7 人間の性格の大部分は幼児期につくられるものであり、環境による影響が大きいとして、自らの経営する紡績工場内に「性格形成学院」を作ったのは、オーエンである。

1回目 /7点　2回目 /7点

答1 ◯ 子どもの興味・自発的活動に基づいて保育を行う理念や実践を児童中心主義といい、**新教育運動**となって日本の保育界にも多大な影響を与えた。

答2 × キルパトリックの**プロジェクト・メソッド**は、子どもたち自身が問題を発見し、解決する方法である。そこで教師は、**ファシリテーター**の役割として存在する。

答3 × ピアジェの影響を受け、「公正さ」に基づいた道徳理論を提唱したのは、**コールバーグ**である。アイゼンバーグは、児童期における**向社会的行動**の発達段階を提唱した。

答4 × コメニウスは、6歳までの時期を「**母親学校**」と呼び、乳幼児期における**母親**との関わりを重要とした。著書に『大教授学』『世界図絵』がある。

答5 ◯ ルソーの影響を受けた**ペスタロッチ**は、人間の本性に従った「合自然性の教育」を目指し、調和的な人間を育成する教育方法の**メトーデ**（直観教授）を探究した。

答6 × 恩物とは、幼稚園の創始者**フレーベル**が考案し、体系化した幼児のための遊具である。著書に『**人間の教育**』『**幼稚園教育学**』などがある。

答7 ◯ オーエンの創設した幼児学校「**性格形成学院**」では、直観教授や集団的な音楽活動を取り入れていた。

Lesson 4 日本の教育の思想と歴史的変遷

問1 「生活を、生活で、生活へ」は、倉橋惣三の言葉である。倉橋は、幼児の生活の価値を認め、その保障することの必要性を説いた。

問2 『翁問答《おきなもんどう》』において、世阿弥《ぜあみ》は孝行を中心とする道徳哲学を、わかりやすく問答形式で説いた。

問3 山本鼎《かなえ》は、教本に倣《なら》うのではない、子どもの自由な表現を重視し、自由画教育運動を興した。

問4 福沢諭吉は『学問のすゝめ』で、人間は生まれながらに平等だが、学ぶものと学ばないもので差が出る。それゆえ学びを怠らず、自立して賢くなることが肝要と説いた。

問5 大正自由教育の代表的な人物である澤柳政太郎は、玉川学園を設立し、子どもを中心とした教育実践を行った。

でる

問6 日本において最も早く体系的ともいえる教育論をまとめた儒学者は、貝原益軒である。

問7 城戸幡太郎は、1936（昭和11）年に保育問題研究会を結成し、その会長に就任。研究者と保育者が共同して幼児保育の実証的研究をすることを推進した。

答1 ○

幼児の能力や、幼児教育の教授方法に関することではなく、幼児の生活形態が第一だと提唱した。著書に『幼稚園雑草』『育ての心』『子供讃歌』など多数ある。

答2 ×

『翁問答』の著者は、中江藤樹である。能役者、謡曲作家である世阿弥は、年齢段階の特質に応じた心や稽古のあり方を著書『風姿花伝』において説いた。他、『花鏡』『至花道』。

答3 ○

山本鼎は、自由画教育運動を興した人物であり、子どもの自由な表現を尊重して、個性や創造性を引き出すリアリズムの信念を訴えた。

答4 ○

福沢諭吉は、『学問のすゝめ』において、身を立て世に出るために必要な実学を身につけなくてはならないと説いた。

答5 ×

澤柳政太郎は、成城小学校を設立した教育実践者であり、そこで教員であった小原國芳が玉川学園を設立した。

答6 ○

貝原益軒は、江戸時代の儒学者で、子どもは小さいときから早く良い人に近づけ、良い道を教えるべきであると説いた。著書に『養生訓』『和俗童子訓』などがある。

答7 ○

城戸は、「協同社会」を建築する「生活力」のある子どもの育成を目指した。著書に『幼児教育論』『生活技術と教育文化』がある。

Lesson 5

幼児教育に関連する人物とその思想

問1 ピアジェは、子どもの思考の発達段階を4つ（感覚運動期、前操作期、具体的操作期、形式的操作期）に分け、この発達段階を経て育つことを提言した。

問2 森有礼は、初代文部大臣に就任し、1886（明治19）年に「学校令」を公布した。これにより、各学校の教育目標などがより明確化された。

問3 松野クララは、東京女子師範学校卒業後、同校附属幼稚園に保姆として勤務。その後、華族女学校附属幼稚園の保姆をしながら二葉幼稚園を設立し、貧困家庭の幼児教育や女子教育に尽力した。

問4 咸宜園《かんぎえん》を開設したのは、江戸時代の儒学者、広瀬淡窓《たんそう》である。

問5 「生活即教育」をモットーに、家庭生活の合理化や教育問題を中心とする啓蒙活動に尽力した日本初の女性記者は、羽仁もと子である。

でる
問6 ヴィゴツキーは、子どもがひとりでできる水準と、大人や仲間の援助を得てできる水準の間を、発達の最近接領域（ZPD）と呼んだ。

答1 ○

ピアジェは、行動の下敷きとなる精神構造を**シェマ**と呼び、精神発達における4つの重要な概念（**自己中心性**、**保存**、**操作**、**均衡化**）を示した。

答2 ○

1900（明治33）年「第三次小学校令」において、**授業料**の徴収が廃止された。1902（明治35）年には、学齢児童の就学率が**90**%を超えるようになる。小学校教育の確立に努めた人物である。

答3 ×

二葉幼稚園は、**野口幽香**、森島峰の2人によって1900（明治33）年に設立された。**フレーベル**の精神を基本とし、貧困家庭の幼児を保育し、その保護者の育児負担の軽減を目的とした。**松野クララ**は、東京女子師範学校附属幼稚園の開設時の主任保姆である。

答4 ○

広瀬淡窓が1805年に大分（豊後）で開いた咸宜園では、身分や階級制度の厳しい時代において、入門時に学歴・年齢・身分を問わない**三奪法**《さんだつほう》によって、すべての門下生を平等に教育した。

答5 ○

日本の家庭生活の近代化は、教育をとおしてこそ実現できると信じ、生活雑誌『家庭之友』（『婦人之友』）を創刊。1921（大正10）年**自由学園**創設。

答6 ○

教師や保育者が、子どもの**発達の最近接領域**に働きかけることにより、子どもは一つ上の発達水準に移行すると考えた。

Lesson 6

教育の制度

問1　現行の「学校教育法」上の学校とは、幼稚園、小学校、中学校、高等学校、大学、専修学校とする。

でる　問2　義務教育とは、子どもが、小学校及び中学校において定められた教育内容を習得する義務をいう。

問3　わが国においては、国公立の義務教育諸学校では授業料を徴収しない。

でる　問4　学校で学びたくても学べない児童生徒に対し、遠隔・オンラインで学習できる制度や、学習成果を評価できる制度の活用促進に向け、適切な方策を検討するべきである。

問5　都道府県は、教育が円滑かつ継続的に実施されるよう、必要な財政上の措置を講じなければならない。

問6　文部科学省の不登校の定義において、不登校は、病気により入院治療を受けている場合や、家計が苦しく教育費が出せない等の経済的な問題による長期欠席も含まれる。

問7　こども基本法（令和5年4月施行）における、4つの原則とは、「差別の禁止」「生命、生存及び発達に対する権利」「児童の意見の尊重」「児童の最善の利益」である。

答1 ×

学校教育法第1条において、「この法律で、学校とは、幼稚園、小学校、中学校、義務教育学校、高等学校、中等教育学校、特別支援学校、大学及び高等専門学校」となっている。

答2 ×

義務教育とは、親や大人たちの、子どもの教育を受ける権利に応える義務であり、子どもにはそのような義務はない。

答3 ○

義務教育の無償の理念の下、授業料を徴収しない。幼児教育の無償化には、幼稚園・保育所・認定こども園の他に、企業主導型保育事業、幼稚園の預かり保育なども含まれている。

答4 ○

不登校・病気療養・障害などの児童生徒に対するきめ細かな支援、さらには才能を伸ばすための高度な学びの機会の提供などに、ICTの特性を最大限活用していくことは重要である。

答5 ○

国及び地方公共団体は、教育が円滑かつ継続的に実施されるよう、必要な財政上の措置を講じなければならない（教育基本法第16条第4項）。

答6 ×

文部科学省の不登校の定義において、病気や経済的な理由によるものは除くとされている。

答7 ○

こども基本法第1章総則第3条において述べられている基本理念は、「児童の権利に関する条約」のいわゆる4原則に相当する内容を規定している。

教育の実践（1）

でる

問1 2016（平成28）年度から2020（令和2）年度にかけて文部科学省は、「教育の情報化加速化プラン」を示し、教育における情報機器の活用を促進した。

問2 経験カリキュラムは、子どもの生活の中での問いを中心とした学びをねらいとしている。

問3 子どもたちが学校の文化としての価値、態度、規範や習慣などを知らず知らず身に付けていく一連の働きを、潜在的カリキュラムという。

問4 アクティブ・ラーニングとは、教員による一方向的な講義形式の教育ではなく、学習者自身が能動的に学習へ参加する学習形態である。

問5 テ・ファリキとは、1996年にニュージーランドで導入された幼児教育のカリキュラムで、子どもの社会的・文化的な学びや、さまざまな人々との関わりを重視している。

問6 問題解決学習は、デューイの教育理論に基づいている。

でる

問7 レッジョ・エミリア・アプローチとは、プロジェクトと呼ばれるテーマ発展型の保育で、教師、保護者、行政関係者、教育学の専門家等が支え合って子どもの活動を支援する。

答1 ○
このプランでは、ICTを活用した「次世代の学校・地域」の創生が示され、情報機器を活用した教育について述べられている。

答2 ○
学習者が生活の中で持った興味や関心を重視して編成されたものを経験カリキュラム、対して、学ぶ内容を分野にわけて系統的に教えるよう編成したものを教科カリキュラムという。

答3 ○
潜在的カリキュラムは、学校や社会が求める価値や規範等をはっきりと示さずに伝達し、刷り込む一連のプロセスで、隠れたカリキュラムともいう。

答4 ○
学習者が能動的に参加することにより、探究が深まり、認知的・倫理的・社会的能力、教養、知識、経験を含めた汎用的能力の育成を図る。

答5 ○
実践者、研究者、マオリ（先住民）の人々の意見を集めて作られたカリキュラム。学びの物語（Learning Stories）と呼ばれる個々の子どもの学びの記録が大切にされている。

答6 ○
デューイの教育理論は、今日の問題解決学習や、コア・カリキュラムの理論に引き継がれている。

答7 ○
幼児教育の実践法で、実践のふりかえりには、子どもの行動や言葉を、メモや写真など様々な手法を用いて記録しながら作成するドキュメンテーションを活用する。

Lesson 8

教育の実践（2）

問1 1950年代半ばにデンマークで発祥した森のようちえんは、子どもたちが朝集まってその日の計画を話し合い、必要なものをかばんに入れて支度をし、1日を野外で過ごす。

問2 教師は、自身の専門性を高めるために、自らの専門的知識に専心して学ぶべきである。

でる

問3 学習者の自発的反応に対して即座にフィードバックがなされ、学習の確認をすることができるのは、プロジェクト・メソッドである。

問4 完全習得学習（マスタリー・ラーニング）という授業モデルを提唱したのは、ブルームである。

問5 ベル・ランカスター法は、大量の生徒を相手に教育を行うため、集団の中から優秀な生徒を助教（モニター）として任用し教師の指示を伝える方法で、学習効果を高めた。

問6 キルパトリックは、自主的な問題解決に取り組ませるプロジェクト・メソッドを確立した。

問7 パーカーストによって提唱された、従来の学級組織や時間割に依拠せず子ども自らが立てた計画で各教科の実験室で学習を進める教育方法を、ドルトン・プランという。

答1 ○

自然体験活動を基軸にした子育て、保育、乳児・幼少期教育の総称を「森のようちえん」と呼んでいる。

答2 ×

教師は、自らの専門性を高めるために、自らの実践の気づきをフィードバックし更新するなどの反省的実践家になることが求められている。

答3 ×

学習者の自発的反応に対してフィードバックがなされ、学習の確認ができるのはプログラム学習で、スキナーにより構想された。

答4 ○

ブルームは、一人ひとりの学習の進度に応じて学習を個別化することで、すべての子どもが学習を完全に習得できると考えた。

答5 ○

ベル・ランカスター法は、ベルが開発した教授法だが同時期にランカスターが提唱したため、ベル・ランカスター法といわれる。一斉授業の起源ともいわれている。

答6 ○

キルパトリックは、子どもたちが自ら価値あると感じる課題を設定し、目的→計画→遂行→判断・評価という4段階を経て、自主的に問題解決に取り組む学習の方法を提唱した。

答7 ○

パーカーストの提唱したドルトン・プランは、「自由」と「協同」を原理とする個別学習の方法である。学校を一つのコミュニティとして「社会的実験室」とした。

Lesson 9 生涯学習社会と教育

問1 OECD（経済協力開発機構）は、1973（昭和48）年の報告書において、「リカレント教育」について論じている。

問2 生涯学習の振興をはかる国際連合の組織は、UNICEF（国際連合児童基金）である。

問3 「生涯教育」という言葉は、ハッチンスによって提唱された。

問4 ノールズは、「大人の学び（adult education）」に着目し、成人学習理論を体系化した中で、レディネス（学習への心身の準備）が大切だと提唱した。

問5 変化の激しい社会では、個人が「自立した一人の人間として力強く生きていくための総合的な力」を身につけ、知識や技能は陳腐化しないように常に更新する必要がある。

問6 生涯学習には、人々のスポーツ活動やレクリエーション活動は含まれない。

でる

問7 将来の世代のニーズを満たす能力を損なうことなく、現在の世代のニーズを満たすような社会づくりのことを「持続可能な開発」という。

1回目 /7点　2回目 /7点

答1 ○
リカレントとは「再び」という意味があり、学校を卒業して社会人になってから再び学校に入って学び直すことをいう。1973（昭和48）年にOECDの報告書で初めて取り上げられた。

答2 ×
生涯学習の振興をはかる国際連合の組織は、UNESCO（国際連合教育科学文化機関）である。

答3 ×
1965（昭和40）年にUNESCOの成人教育推進国際委員会で、ラングランによって提唱された。ハッチンスは、学習社会を提唱した。

答4 ○
アンドラゴジー（成人教育）とペタゴジー（子どもを対象にした教育）の対比に、「自己概念」「学習経験」「レディネス」「方向づけ」「動機づけ」の5つの観点を用いている。

答5 ○
また、他者との関係を築く力等の豊かな人間性を含む総合的な力は、ライフステージに応じて様々な場所や方法で学習し、職業生活や社会活動にて、成果を発揮することが求められる。

答6 ×
生涯学習とは、文化活動、趣味、ボランティア活動などあらゆる機会に行うものである。

答7 ○
「持続可能な開発」を目的として行われる教育のことを「持続可能な開発のための教育」といい、2002（平成14）年に日本が世界首脳会議で提案した。

Lesson 10

教育をめぐる現代的課題

でる
問1 人類が将来の世代にわたり恵み豊かな生活を確保できるよう、ESD（持続可能な開発のための教育）が注目されている。

問2 特別支援教育は、知的な遅れのない発達障害を対象としない。

問3 2019（令和元）年に、児童福祉法、児童虐待防止法などが改正され、保護者による体罰の禁止が明文化された。

問4 ネット上のトラブルを早期発見できるよう、学校ネットパトロールの実施、また、学校における情報モラル教育の推進も必要である。

でる
問5 2018（平成30）年度の学習指導要領改訂から、道徳の教科化が行われた。

問6 小学校における教師の指導においては、性的役割分担を明確にするために、男らしさ、女らしさについて適切にアドバイスを行う必要がある。

問7 スタートカリキュラムは、1965年にアメリカで始まった補償教育の一環で、恵まれない家庭の幼児を対象とした教育で、小学校入学後の学習効果促進を目的としている。

答1 ○
ESDを通じたSDGs（持続可能な開発目標）の達成が2015（平成27）年の国連サミットで採択。持続可能で多様性と包摂性のある社会の実現を目指している。

答2 ×
特別支援教育は、これまでの特殊教育の対象の障害だけでなく、知的な遅れのない発達障害も含めて実施されるものである。

答3 ○
また、この改正で、児童相談所の体制強化や虐待した親に対する再発防止プログラムを実施する努力義務もり込まれた。

答4 ○
保護者の理解も求める必要がある。また、児童生徒が悩みを抱え込まないよう関係機関（法務局・地方法務局の相談受付等）の取り組みも周知する。

答5 ○
道徳の教科化の他にも、2018（平成30）～2020（令和2）年度の学習指導要領改訂から、外国語教育の小学校3・4年次での導入、プログラミング教育の導入が行われた。

答6 ×
教師の指導においては、潜在的カリキュラムとしてジェンダー・バイアスを助長しないよう、細心の注意を払う必要がある。

答7 ×
記述は、ヘッド・スタート計画。スタートカリキュラムは、幼稚園や保育所などの遊びや学びと育ちを基礎として、新しい小学校生活を創り出していくための日本のカリキュラム。

Lesson 11

関係法令等（1）

穴埋め問題

でる

問1

これからの幼稚園には、学校教育の始まりとして、こうした教育の目的及び目標の達成を目指しつつ、一人一人の幼児が、将来、自分のよさや可能性を認識するとともに、あらゆる他者を価値のある存在として尊重し、多様な人々と協働しながら様々な社会的変化を乗り越え、豊かな人生を切り拓き、持続可能な社会の創り手となることができるようにするための基礎を培うことが求められる。このために必要な教育の在り方を具体化するのが、各幼稚園において教育の内容等を組織的かつ計画的に組み立てた教育課程である。

幼稚園教育要領 前文

問2

幼稚園教育は、学校教育法に規定する目的及び目標を達成するため、幼児期の特性を踏まえ、環境を通して行うものであることを基本とする。

幼稚園教育要領 1章 総則 第1 幼稚園教育の基本

でる

問3

幼児の発達は、心身の諸側面が相互に関連し合い、多様な経過をたどって成し遂げられていくものであること、また、幼児の生活経験がそれぞれ異なることなどを考慮して、幼児一人一人の特性に応じ、発達の課題に即した指導を行うようにすること。

幼稚園教育要領 1章 総則 第1 幼稚園教育の基本 3

問4 園児の一日の生活の連続性及びリズムの多様性に配慮するとともに、保護者の生活形態を反映した園児の在園時間の長短、入園時期や登園日数の違いを踏まえ、園児一人一人の状況に応じ、教育及び保育の内容やその展開について工夫をすること。

幼保連携型認定こども園教育・保育要領　1章 総則　第3　2

問5 すべて国民は、個人として尊重される。生命、自由及び幸福追求に対する国民の権利については、公共の福祉に反しない限り、立法その他の国政の上で、最大の尊重を必要とする。

法律　日本国憲法　13条

問6 すべて国民は、ひとしく、その能力に応じた教育を受ける機会を与えられなければならず、人種、信条、性別、社会的身分、経済的地位又は門地によって、教育上差別されない。

法律　教育基本法　4条1項

でる
問7 幼児期の教育は、生涯にわたる人格形成の基礎を培う重要なものであることにかんがみ、国及び地方公共団体は、幼児の健やかな成長に資する良好な環境の整備その他適当な方法によって、その振興に努めなければならない。

法律　教育基本法　11条

でる
問8 全て国民は、児童が良好な環境において生まれ、かつ、社会のあらゆる分野において、児童の年齢及び発達の程度に応じて、その意見が尊重され、その最善の利益が優先して考慮され、心身ともに健やかに育成されるよう努めなければならない。

法律　児童福祉法　2条1項

Lesson 12

関係法令等（2）

穴埋め問題

問1 幼保連携型認定こども園の満3歳以上の園児の教育課程に係る教育週数は、特別の事情のある場合を除き、年間**39週**を下回ってはならない。1日の教育課程に係る教育時間は**4時間**を標準とする。ただし、園児の**心身の発達の程度**や季節などに**適切に配慮**するものとする。幼保連携型認定こども園の保育を必要とする子どもに該当する園児に対する教育及び保育の時間は、1日につき**8時間**を原則とし、園長がこれを定める。

幼保連携型認定こども園教育・保育要領　1章総則 第2 1（3）イ、ウ、エ

問2 幼稚園は、義務教育及びその後の教育の基礎を培うものとして、幼児を**保育**し、幼児の健やかな成長のために適当な**環境**を与えて、その心身の発達を**助長**することを目的とする。

法律　学校教育法　22条

でる

問3 幼稚園においては、第22条に規定する目的を実現するための教育を行うほか、幼児期の教育に関する各般の問題につき、**保護者**及び**地域住民**その他の関係者からの**相談**に応じ、必要な情報の**提供**及び**助言**を行うなど、家庭及び地域における幼児期の教育の**支援**に努めるものとする。

法律　学校教育法　24条

問4 国民一人一人が、自己の**人格**を磨き、豊かな人生を送ることができるよう、その**生涯**にわたって、あらゆる機会に、**あらゆる場所**において学習することができ、その成果を適切に生かすことのできる社会の実現が図られなければならない。

法律　教育基本法　3条

問5 学校の設置者及びその設置する学校は、児童等の豊かな情操と道徳心を培い、心の通う対人交流の能力の素地を養うことがいじめの防止に資することを踏まえ、全ての教育活動を通じた道徳教育及び体験活動等の充実を図らなければならない。

法律 **いじめ防止対策推進法 15条**

でる 問6 教育課程の実施に必要な人的又は物的な体制を確保するとともにその改善を図っていくことなどを通して、教育課程に基づき組織的かつ計画的に各幼稚園の教育活動の質の向上を図っていくこと（以下「カリキュラム・マネジメント」という。）に努めるものとする。

幼稚園教育要領 **1章 総則 第3 教育課程の役割と編成等 1**

でる 問7 われらは、日本国憲法の精神にしたがい、児童に対する正しい観念を確立し、すべての児童の幸福をはかるために、この憲章を定める。

児童は、人として尊ばれる。

児童は、社会の一員として重んぜられる。

児童は、よい環境のなかで育てられる。

憲章 **前文**

問8 すべての児童は、家庭で、正しい愛情と知識と技術をもつて育てられ、家庭に恵まれない児童には、これにかわる環境が与えられる。

憲章 2条

覚えたかな？ ここでCheck!

まずはそのまま、次は赤シートで隠して、色字のキーワードを確認しよう。

□ **1** キルパトリックによって提唱された、子どもたち自らが計画し、現実の生活において達成される目的をもった活動を通して学習を行う教育方法をプロジェクト・メソッドという。

□ **2** モンテッソーリ法は、環境構成に配慮し、子どもの自発的活動に依拠した教育方法である。

□ **3** フレーベルは、恩物と呼ばれる玩具を用いた教育方法を生み出した。

□ **4** 今日の問題解決学習は、デューイの教育理論に基づいたものである。

□ **5** 倉橋惣三は、幼児の生活の価値を認め、その生活を保障することで学びにつなげることの必要性を説いた。

□ **6** 各学校が設定する学校教育目標を実現するために、学習指導要領等に基づき教育課程を編成し、それを実施・評価し改善していくことを「カリキュラム・マネジメント」という。

□ **7** 教育基本法によると、幼児期の教育は、生涯にわたる人格形成の基礎を培う重要なものである。

6章

社会的養護

社会的養護の課題と現状、児童養護施設入所児童等調査結果、里親委託ガイドライン、「児童福祉施設の設備及び運営に関する基準」などがよく出題されています。児童虐待防止法や児童福祉法などについても確認しておきましょう。

社会的養護の重要ポイント

Point 1 児童福祉法の改正 7 つのポイント

こども家庭センターの設置（市区町村）	子育て世代包括支援センターと子ども家庭総合支援拠点が合体し、こども家庭センターへ移行された。
児童福祉審議会を設置	児童福祉審議会を設置することで、各都道府県は児童相談所の対応が適切か見極められるようになる。
児童相談所による支援の強化	児童相談所では、困難を抱える妊産婦へ住居や食事、養育にかかる情報提供など、日常生活支援も援助していく。
司法審査の導入	子どもを一時保護する際のトラブル回避のため、司法審査を受け、速やかに子どもを避難させられるようにする。
こども家庭ソーシャルワーカーの導入	児童福祉司の人手不足や経験不足問題の解消のため、虐待問題に関する新資格であるこども家庭ソーシャルワーカーを導入し、人材を確保し、育成をねらう。
児童養護施設の自立支援、年齢制限の撤廃	18歳から22歳まで退所の時期を就学に関係なく、延ばすことができる。
保育士のわいせつ行為、再登録の厳格化	保育士資格の再登録の厳格化、日本版DBS（Disclosure and Barring Service：犯罪証明管理および発行システム）制度の創設（2026年度施行予定）。

Point 2 社会的養護の体系

社会的養護は児童相談所を中心に市町村の児童家庭相談や子育て支援事業と連携して推進することが必要とされる。

<table>
<tr><th>施設養護</th><th>家庭養護</th></tr>
<tr><td>児童養護施設　乳児院　母子生活支援施設
児童心理治療施設　児童自立支援施設

家庭的養護
地域小規模児童養護施設（グループホーム）
小規模グループケア　自立援助ホーム</td><td>養育里親
親族里親
養子縁組里親
専門里親
ファミリーホーム
など</td></tr>
</table>

里親制度の種類 ➡ 3章 子ども家庭福祉 p.90

Point 3 児童養護施設の特徴

養護	児童に対して安定した生活環境を整え、生活指導、学習指導、職業指導、家庭環境の調整を行いつつ児童を養育することで、児童の心身の健やかな成長と自立を支援する。
生活指導	児童の自主性を尊重し、基本的生活習慣を確立するとともに豊かな人間性と社会性を養い、かつ、将来自立した生活を営むために必要な知識と経験を得ることができるように実施しなければならない。
学習指導	児童が適性や能力等に応じた学習ができるように、適切な相談、助言、情報の提供などの支援を実施しなければならない。
職業指導	勤労の基礎的な能力と態度を育て、児童が適性や能力等に応じた職業選択ができるように、適切な相談、助言などの支援を実施しなければならない。
家庭環境の調整	児童の家庭の状況に応じ、親子関係の再構築等が図られるように行わなければならない。

Point 4 障害児入所施設の特徴

施設概要	福祉型と医療型の2類型がある。
生活指導	児童が日常の起居の間に、施設を退所後、できる限り社会に適応するよう支援を実施しなければならない。
学習指導	適性や能力等に応じて学習できるように、適切な相談や情報提供などの支援を実施しなければならない。
職業指導	児童の適性に応じ、将来できる限り健全な社会生活を営むことができるように実施しなければならない。
入所支援計画	施設長は、児童の保護者と児童の意向や児童の適性などを踏まえて作成する。入所支援計画に基づき児童に対して障害児入所支援を提供し、その効果について継続的な評価を実施する。

Point 5 家庭支援専門相談員（ファミリーソーシャルワーカー）の主な業務内容

①保護者等への早期家庭復帰のための業務
②退所後の児童に対する継続した生活相談
③里親委託促進のための業務
④養子縁組推進のための業務
⑤地域の子育て家庭に対する育児不安解消のための相談・支援
⑥施設職員への助言・指導及び処遇会議への出席
⑦児童相談所等関係機関との連絡・調整

Point 6 児童福祉施設の人員基準

	家庭支援専門相談員	個別対応職員	保育士	児童指導員	母子支援員・少年指導員	心理療法担当職員
乳児院	◎	◎	▲※1	▲		□
母子生活支援施設		※2	※3		◎	□
児童養護施設	◎	◎	◎	◎		□
児童心理治療施設	◎	◎	◎	◎		◎
児童自立支援施設	◎	◎	※4	※4		□
障害児入所施設			◎	◎		※5 ※6
児童発達支援センター			◎	◎		

◎：必置義務あり
▲：看護師に代えて置くことができる
□：各施設、心理療法を行う必要がある者が一定数以上いる場合に必置
※1　乳幼児20人以下を入所させる場合は必置
※2　個別に特別な支援が必要な場合は必置
※3　保育所に準ずる設備を設けるときは必置
※4　児童自立支援専門員、児童生活支援員を必置
※5　福祉型で心理指導が必要な児童が5人以上いる場合、心理指導担当職員を必置
※6　医療型で主として重症心身障害児の入所施設には心理指導担当職員を必置

Point 7 児童虐待防止の対応強化

2020（令和2）年4月より、児童虐待問題への対応を強化するため「児童虐待防止法」と「児童福祉法」が改正、施行された。

児童の権利擁護

①親権者などによる体罰を禁止
②民法による「懲戒権」の規定を削除

市町村および児童相談所の体制強化

①児童相談所で一時保護と保護者支援の業務を行う職員を分離
②児童相談所に、医師と保健師を配置、弁護士の配置等
③児童相談所への、児童福祉司およびスーパーバイザーの配置基準等
④虐待を受けた子どもなどの一時保護に、司法審査を導入

関係機関間の連携強化

①学校や教育委員会、児童福祉施設の職員に守秘義務を課す
②児童の転居の際に切れ目なく支援が行われるよう、児童相談所間で速やかに情報の共有を行う

Point 8 社会的養護関係施設の第三者評価

社会的養護関係施設は、運営の質の向上を図るため、公正で中立な第三者機関による第三者評価が実施されている。

実施義務のある施設	乳児院、児童養護施設、児童自立支援施設、母子生活支援施設など
受審	3年に1回以上。ただし、毎年度自己評価を行わなければならない。
評価基準	全国共通。ただし、都道府県推進組織が独自に策定可能。
評価機関	全国推進組織が認証した評価機関。ただし、都道府県推進組織が認証した評価機関も可能。

Lesson 1

社会的養護の意義と対象

問1 里親支援センターは、2024（令和6）年4月1日より、児童福祉施設として位置づけられた。

問2 児童福祉法で定義する要保護児童とは、保護者の養育を支援することが特に必要と認められる児童をいう。

問3 児童福祉法で定義する要支援児童とは、保護者に監護させることが不適当であると認められる児童をいう。

でる 問4 社会的養護と一般の子育て支援施策とでは、それぞれ切り離した支援が求められる。

でる 問5 社会的養護は、里親やファミリーホームより、児童養護施設、乳児院等の施設養護での養護を推進している。

でる 問6 社会的養護の基本理念は、保護者の適切な養育を受けられない子どもを、民間団体等が中心となり支援を行うことである。

問7 児童養護施設では、地域で生活する児童を対象とした、短期入所生活援助事業も行っている。

1回目 /7点　2回目 /7点

答1 ○
児童相談所の業務負荷が増大する中で、民間と協働し、支援の強化を図る必要がある。家庭養育の推進により児童の養育環境を向上させるため、児童福祉施設として位置づけられた。

答2 ×
要保護児童とは、保護者のない児童または保護者に監護させることが不適当であると認められる児童をいう。

答3 ×
要支援児童とは、保護者の養育を支援することが特に必要と認められる児童をいう。

答4 ×
社会的養護と一般の子育て支援施策は、一連の連続性を持つものであり、密接な連携が必要である。

答5 ×
家庭的養護を推進しており、里親やファミリーホームを優先し、児童養護施設、乳児院等の施設養護においても、できる限り小規模で家庭的な養育環境の形態に変えていくことが示されている。

答6 ×
社会的養護は、保護者の適切な養育を受けられない子どもを公的責任で、社会的に保護・養育することが示されている。

答7 ○
同施設では子育て支援、児童虐待予防として、短期入所生活援助（ショートステイ）事業、夜間養護等（トワイライトステイ）事業も実施している。

Lesson 2

社会的養護の歴史的変遷

問1 2016（平成28）年の児童福祉法の改正において、同法第1条（児童福祉の理念）が改正された。

でる 問2 バーナードは、障害のある子どもたちを救済するための施設、バーナードホームを設立した。

問3 こども家庭庁（2023年4月発足）は、「企画立案・総合調整部門」「成育部門」「支援部門」の3つの部門から構成されている。

問4 ボウルビィは、乳幼児期に特定の養育者からの一貫した養育が重要であることを報告した。

でる 問5 柏倉松蔵は、肢体不自由児の施設を設立した。

問6 留岡幸助は、非行や犯罪の主な原因は劣悪な環境によるものと考え、1899（明治32）年、私立感化院「家庭学校」を創設した。

でる 問7 石井亮一は、岡山孤児院を創設した。

答1 ○

第1条の見直しは制定後初めてとなる。子どもは権利行使の主体で最善の利益が優先されるので「全て児童は、児童の権利に関する条約の精神にのっとり」と条文に明記された。

答2 ×

バーナードは、イギリスで浮浪児等の貧困児童救済のための施設を設立した。小舎制やアフターケア等、先駆的な取り組みを実施した。

答3 ○

「企画立案・総合調整部門：全体のとりまとめ」「成育部門：こどもの育ちをサポート」「支援部門：特に支援が必要なこどもをサポート」の3つの部門から構成されている。

答4 ○

1951（昭和26）年にWHOの「ボウルビィ報告」において、乳幼児期には、母親等の特定の養育者からの一貫した養育が重要であることを発表した。

答5 ○

柏倉松蔵は、1921（大正10）年に肢体不自由児のための施設であるクリュッペルハイム柏学園を設立した。

答6 ○

留岡幸助は、更生に向けた感化教育事業を行った。感化院はこれまで何度か改称され、現在では児童自立支援施設となっている。

答7 ×

石井亮一は、1891（明治24）年にわが国初の知的障害児のための施設である、滝乃川学園を創設した。

Lesson 3

社会的養護の制度

問1　在宅支援は「社会的養護」の一部であり、市町村が中心となり児童や保護者を継続的に支援し、児童虐待の発生予防等を図っている。

問2　施設での滞在期間は、乳幼児・学童期以降は1年以内であり、特別なケアが必要な学童期以降の子どもであっても3年以内を原則とされている。

でる

問3　身元保証人確保対策事業は、子どもや女性等の自立支援を図る観点から、施設長等が身元保証人を確保し、社会的自立の促進に寄与することを目的としている。

問4　児童福祉施設における第三者委員とは、子どもの苦情に応じて、施設と子どもとの間で話し合いの際に、立ち会いをしてくれる人のことである。

問5　虐待通告受理後、児童相談所は原則24時間以内に子どもを直接目視して安全確認を行う。

でる

問6　都道府県は、質の高い里親養育の実現を目指して、民間フォスタリング機関に業務を委託することができる。

でる

問7　国・地方公共団体（都道府県・市町村）の責務として、より家庭に近い環境での養育の推進等が、児童福祉法に明記されている。

1回目 /7点　2回目 /7点

答1 ○
市町村は、基礎的な地方公共団体として、施設入所等の措置を採るに至らなかった児童への在宅支援を中心となって行い、家事援助を含めた訪問型の支援を行っている。

答2 ×
施設での滞在期間は、原則として乳幼児は数か月以内、学童期以降は1年以内であり、特別なケアが必要な学童期以降の子どもであっても3年以内を原則とされている。

答3 ○
児童養護施設や女性自立支援施設に入所中または退所、里親等に委託中または委託解除後の子ども等に対し、社会的自立の促進に寄与することを目的としている。

答4 ○
子どもからの意見、要望または苦情に関し、子どもの立場に配慮した適切な対応を図り、施設長へ必要な助言をする人である。

答5 ×
通告受理後、安全確認は原則48時間以内に子どもを直接目視することにより行うとされている。安全確認ができない場合は、立入調査を実施する。

答6 ○
2016（平成28）年の児童福祉法改正により、子どもの家庭養育優先原則に則り、里親に関する業務（フォスタリング業務）が具体的に位置付けられた。

答7 ○
2016（平成28）年改正において、児童が心身ともに健やかに養育されるよう、より家庭に近い環境での養育の推進等が明記された。

Lesson 4 里親制度

でる
問1
里親家庭が一時的な休息（レスパイト）を取りやすくなるよう、養育児童預かり支援が創設された。

問2
里親手当は養育義務のない、おじ、おばには支給されない。

問3
里親の普及啓発から里親の選定、里親と児童の調整、児童の養育に関する計画の作成など、一貫した里親支援は、市町村の業務である。

でる
問4
里親およびファミリーホームは、社会的養護を必要とする子どもを、養育者の家庭に迎え入れて養育する「家庭養護」である。

でる
問5
里親等への委託率は、施設養護が多く占めている。

でる
問6
里親は、自らがあらかじめ作成した自立支援計画に従って、委託児童を養育しなければならない。

問7
里親委託対象となる子は、養子縁組を検討する子、実親との関係も保ちながら長期間養育を必要とする子で、保護者の傷病等で短期間養育を必要とする子は含まれない。

答1 ○

里親養育包括支援において、里親家庭が一時的な休息（レスパイト）を取りやすくなるよう一時預かりを行うための支援が拡充された。

答2 ×

2011（平成23）年9月「社会的養護の課題と将来像」に基づく当面の省令改正で、扶養義務のない、おじやおばに、養育里親を適用して里親手当を支給できるように改正された。

答3 ×

里親に対する一貫した支援は、2017（平成29）年4月1日より、都道府県（児童相談所）の業務となった。

答4 ○

里親及びファミリーホーム養育指針においては、里親およびファミリーホームは「家庭養護」であると示されている。

答5 ○

施設養護が多く23.5%であるが、市町村によって里親等への委託を積極的に推進している自治体もある。

答6 ×

里親は、児童相談所長があらかじめ委託児童ごとに作成する自立支援計画に従って、委託児童を養育しなければならない。

答7 ×

委託児童は、新生児から年齢の高い子どもまですべての子どもが対象となり、加えて保護者の傷病等で短期間の養育を必要とする子どもも含まれる。

Lesson 5

養子縁組制度等

問1 養子縁組には、普通養子縁組と特別養子縁組の形式があり、特別養子縁組の成立件数は、年々増加している。

問2 民間あっせん機関による養子縁組のあっせんは、可能な限り日本国内、および日本国外において児童が養育されることとなるよう行われなければならない。

問3 養子候補者の上限年齢は、6歳未満までとされている。

でる 問4 特別養子縁組成立のためには、養親（原則25歳以上）が養子となる子どもを6か月以上監護していることが必要である。

でる 問5 養子縁組民間あっせん機関での調査において、養父母親希望者の年齢は、35歳以上40歳未満が多い。

問6 特別養子縁組については、養親は少なくとも配偶者の一方が25歳以上（もう一方は20歳以上）でなければならないとされている。

問7 特別養子縁組成立時における児童の年齢は、1歳以下が最も多い。

答1 ×

2017年と2018年は600件を超え、2019年は700件を超えていたが、2020年以降は減少傾向となっている（司法統計年報）。

答2 ×

可能な限り日本国内において児童が養育されることとなるよう、行われなければならないと示されている（養子縁組あっせん法第1章総則（児童の最善の利益等）第3条2項）。

答3 ×

上限年齢は、15歳未満である。以前は、幼少期から養育を開始した方が親子関係を形成しやすい等の理由で、原則6歳未満、例外8歳未満であった。

答4 ◯

特別養子縁組成立前に対象となる子どもと一緒に暮らし、その監護状況等を考慮し、家庭裁判所が特別養子縁組の成立を決定する。

答5 ×

40歳以上45歳未満が37%、次に45歳以上50歳未満が26%となり、40〜50歳の年齢が多い（令和3年度養子縁組民間あっせん機関実態調査結果）。

答6 ◯

特別養子縁組については、夫婦共同で縁組をする必要があり、養親は少なくとも配偶者の一方が25歳以上（もう一方は20歳以上）でなければならないとされている。

答7 ◯

児童相談所事案では、1歳以下48.5%、5歳以上18.0%となっており、民間あっせん団体事案では、1歳以下85.8%、5歳以上6.5%であった（特別養子縁組に関する調査結果について）。

Lesson 6

社会的養護の専門職

でる

問1 障害児入所施設には、福祉型・医療型にかかわらず、児童発達支援管理責任者を配置しなければならない。

問2 養育里親は、養育里親研修を修了した60歳までの年齢に限られている。

でる

問3 里親支援専門相談員（里親支援ソーシャルワーカー）は、2つの要件に該当する自治体においては、1施設当たり里親支援専門相談員を2人配置できる。

でる

問4 家庭支援専門相談員の業務内容において支援に当たっては、施設の心理療法担当職員、里親支援専門相談員、自立支援担当職員等がそれぞれ対応をする。

問5 被虐待児等の個別の対応が必要な児童やその保護者への支援をする専門職として、児童養護施設等には個別対応職員が配置されている。

でる

問6 母子生活支援施設には、退所後のアフターケアや地域の母子家庭等への支援を担う職員を配置している。

問7 小規模住居型児童養育事業（ファミリーホーム）は、養育者の家庭に児童を迎え入れて養育を行わなければならない。

1回目 /7点　2回目 /7点

答1 ○

児童発達支援管理責任者は、児童発達支援センターや放課後等デイサービスにも配置されている。

答2 ×

養育里親研修を修了していることが要件とされており、年齢に一律の上限は設けてはおらず、養育可能な年齢であるかどうかを判断される。

答3 ○

「里親委託・施設地域分散化等加速化プランの実施方針」に基づく里親委託加速化プランに採択された自治体では、1施設当たり里親支援専門相談員を2人配置できる。

答4 ×

支援対象者の把握は、児童相談所や要保護児童対策地域協議会等と連携し、支援に当たって施設の心理療法担当職員、里親支援専門相談員、自立支援担当職員等と連携して対応する。

答5 ○

個別対応職員は、児童養護施設、乳児院、児童心理治療施設、児童自立支援施設、母子生活支援施設などに配置義務がある。

答6 ○

母子生活支援施設における自立支援体制の強化を図るため、母子家庭の自立に向けた支援を行っている。

答7 ○

養育者は、小規模住居型児童養育事業を行う住居に生活の本拠を置く者に限るとされている（児童福祉法施行規則第1条の14）。

Lesson 7

児童福祉施設の種類とその特徴

でる

問1 児童自立支援施設で策定される自立支援計画の見直しにおいては、職員自らが子どもの生活を振り返り評価を行う。

でる

問2 福祉型障害児入所施設における生活指導は、施設を退所した後、できる限り社会に適応するように行わなければならない。

問3 里親支援センターは、児童福祉施設である。

でる

問4 ファミリーホームの基本型は、夫婦型である。

でる

問5 児童自立生活援助事業（自立援助ホーム）の入所年齢は、児童自立生活援助が行われていた満20歳に満たない者である。

問6 自立援助ホームは、里親委託措置の解除や、施設から退所した子どもに対して、居住場所と食事の提供のみを行う事業である。

問7 児童相談所長は、親権喪失についてのみ家庭裁判所への請求権を有している。

答1 ×

自立支援計画の見直しは、子どもの意見聴取等を行い、子どもの意向を確認し、保護者の意向を踏まえ、子どもの最善の利益を考慮して行う。

答2 ○

福祉型障害児入所施設における生活指導は、児童が日常の起居の間に、退所後、できる限り社会に適応するようこれを行わなければならない。

答3 ○

家庭養育の推進により、児童の養育環境を向上させるため、里親支援センターを児童福祉施設として、位置づけている（2024（令和6）年4月1日施行）。

答4 ○

里親及びファミリーホーム養育指針においては、ファミリーホームの基本型は夫婦型であり、生活基盤をそこに持たない住み込み職員型ではないことが示されている。

答5 ×

2017（平成29）年4月より、高等学校の生徒、満20歳に達する日の前日において大学等の学生で満22歳に達する日の年度末日までの間にあるものが加えられた。

答6 ×

職員は、就労姿勢や職場の対人関係についての援助・指導、その他自立した日常生活及び社会生活を営むために必要な相談・援助・指導を行う。

答7 ×

児童相談所長は、親権喪失、親権停止及び管理権喪失の審判並びにこれらの審判の取り消しについて家庭裁判所への請求権を有している。

Lesson 8

児童養護施設

でる 問1 児童養護施設は、将来的にすべて家庭的な養育を行えるよう目指されている。

でる 問2 中学3年生以上の年長児童全員の大学または短期大学への進学希望者が増加している。

でる 問3 ライフストーリーワークは、子ども自身が自己の生い立ちを正しく理解するための支援である。

問4 児童養護施設に委託または入所する児童は、6歳未満の幼児で半数を占めている。

問5 地域小規模児童養護施設の特性として、子どもの個別ニーズに即応でき、柔軟性のある個別対応が可能となることがあげられる。

問6 児童養護施設に入所している中の7割を超える児童は、「被虐待経験」がある。

問7 児童福祉法の改正により、児童福祉施設の長、里親、ファミリーホームの養育者に対しても体罰は禁じられた。

1回目 /7点　2回目 /7点

答1 ×

里親養育を優先し、難しい場合には、施設養護を行う。施設を小規模化して家庭的養育を目指しているが、本体施設は残し高度専門的な手厚いケアの集中的提供が考えられている。

答2 ○

大学や短期大学への進学は、希望する35.6%、希望しない29.5%、考えていない29.2%で、前回調査より進学希望者が増加している（児童養護施設入所児童等調査の概要（令和5年2月））。

答3 ○

社会的養護においては、子どもと養育者（施設や児童相談所の職員、里親支援機関や里親自身など）と一対一で行われることとされている。

答4 ×

入所する児童の構成割合で6歳未満は、9.6%で約1割となっている。なお、入所児童の平均年齢は、11.8歳である（児童養護施設入所児童等調査の概要（令和5年2月））。

答5 ○

小規模化と地域分散化で、職員の力量の向上が求められており、同時に、施設の組織運営力の向上やスーパーバイズ体制の整備が求められている。

答6 ○

「被虐待経験」がある児童養護施設入所児童は、71.7%で7割を超えている（児童養護施設入所児童等調査の概要（令和5年2月））。

答7 ○

2019（令和元）年の改正において、施設長等による体罰の禁止や児童相談所の機能強化などに関する規定が整備された。

Lesson 9

乳児院

でる　問1　乳児院は、短期間で家庭に戻れるため乳児の在所期間は短い。

でる　問2　乳幼児の養育は、原則、里親委託とすることを目指し、今後、乳児院は家庭支援を中心に行っていくことが検討されている。

問3　乳児院入所児童も保育所等訪問支援事業の訪問対象になっている。

問4　乳児院では、乳児院の職員である家庭支援専門相談員を中心に、里親支援をしていくことが求められている。

でる　問5　乳児院の養育は、基本的に入所から退所まで一貫した担当者が行う。

問6　乳児院は、地域の育児相談やショートステイ等の子育て支援機能を持っている。

問7　児童家庭支援センターでは、児童自立支援計画の策定が義務づけられている。

1回目 /7点　2回目 /7点

答1 ×

乳児院は、0歳での入所が7割であり、家庭に戻れるためではなく、児童養護施設に措置変更となる乳幼児の方が多い。

答2 ○

乳児院の多機能化・機能転換が検討されており、特別なニーズがある子どもの養育と、家庭を支援するセンター的役割を担うことになっていく。

答3 ○

保育所等訪問支援事業は、2012（平成 24）年に創設、2018（平成 30）年の児童福祉法改正に伴い乳児院や児童養護施設も訪問先として拡大された。

答4 ×

乳児院は、里親支援の拠点としても期待されている。家庭支援専門相談員に加え、里親支援専門相談員が継続的な支援体制を整備し支援している。

答5 ○

特別な配慮が必要な場合を除いて、日常の養育は「担当養育制」がとられ、受容的・応答性の高い関わりの中で養育が行われている。

答6 ○

市区町村との契約により、一時的に利用するショートステイ（子育て短期支援事業）やトワイライトステイ、地域の親子の遊び場の提供や相談援助を行う事業に取り組んでいる。

答7 ×

義務づけられているのは、乳児院、母子生活支援施設、児童養護施設、児童心理治療施設、児童自立支援施設である。

Lesson 10

児童心理治療施設

でる 問1 児童養護施設の子どもにおいては、87.6％が障害等ありとなっている。

でる 問2 児童心理治療施設には、心理的困難や生きづらさを感じている児童、心理治療が必要な児童が入所している。

でる 問3 児童心理治療施設における入所治療は、1週間から1年までの期間で行わなければならない。

問4 児童心理治療施設での治療は、施設に配置されている児童精神科医や心理療法担当職員による施設内個人治療のみ行う。

問5 生活指導は、児童の社会的適応能力の回復を図り、児童が施設退所後、健全な社会生活を営めるように行わなければならない。

問6 社会的養護を担う施設は、「児童養護施設」「乳児院」「母子生活支援施設」「児童自立支援施設」などである。

でる 問7 児童心理治療施設は、情緒障害児への心理治療のみを目的とした入所型の児童福祉施設である。

答1 ×
社会的養護を必要とする子どもにおいて、児童心理治療施設の87.6%、児童自立支援施設の72.7%、ファミリーホームの51.2%、児童養護施設の42.8%が障害等ありで増加している。

答2 ○
虐待や発達障害などを背景とする問題に対する治療・支援が主となる（情緒障害児短期治療施設運営指針（2012（平成24）年厚生労働省））。

答3 ×
情緒障害児短期治療施設運営指針により、児童心理治療施設における入所治療は原則として数か月から2～3年程度の期間とされている。

答4 ×
日常生活、学校生活、個人心理治療、集団療法、家族支援、施設外での社会体験等を有機的に結びつけた総合的な治療・支援（総合環境療法）である。

答5 ○
生活指導及び心理療法により、児童の社会的適応能力の回復を図る。また、施設退所後も、相談やその他の援助を受けることができる。

答6 ○
社会的養護を担う施設の「運営指針」「里親及びファミリーホーム養育指針」（2012（平成24）年3月厚生労働省）が発出された。

答7 ×
家庭環境、学校における交友関係、その他の環境上の理由により社会生活への適応が困難となった児童を対象とし、治療及び生活指導を行う。入所の他に通所の利用もある。

Lesson 11

社会的養護の現状

でる
問1 2022（令和4）年度の里親・ファミリーホームへの委託児童数は7,798人で、里親委託率はここ十数年一貫して減少している。

問2 子どもの貧困率は、昨年度よりも改善している。

でる
問3 2021（令和3）年度、全国の児童相談所の相談の種類で、最も多いのは児童虐待相談等を含む「養護相談」である。

問4 児童養護施設入所児童等調査の概要（令和5年2月）によると、母子生活支援施設への入所理由は、「経済的理由による」の割合が最も高い。

問5 母子生活支援施設入所世帯の母親が「臨時・日雇・パート」として就業している割合は、4割となっている。

でる
問6 児童養護施設の設置数及び入所児童数は、この20年間で増加し続けている。

1回目 /6点　2回目 /6点

答1 ×

里親委託児童数は**6,080**人（登録里親数15,607世帯）、ファミリーホーム委託児童数は**1,718**人（設置数は446か所）である。以前は委託児童数が**増加**していたが、近年は**横ばい**傾向である（社会的養育の推進に向けて（令和6年4月））。

答2 ○

前回調査した2018（平成30）年の14.0％と比較して、2021（令和3）年は11.5％となり、**2.5％改善**しているが、国際的にみると日本の子どもの貧困率は、OECD主要国のなかで、まだまだ高い状況にある。

答3 ○

児童相談所における相談の種類別対応件数で、最も多いのは**養護相談**49.5％、次いで**障害相談**35.6％で年々上昇している（令和3年度福祉行政報告例の概況）。

答4 ×

母子生活支援施設への入所理由は、「**配偶者からの暴力**」（50.3％）が最も多く、次いで「**住宅事情による**」（15.8％）が多くなっている。

答5 ○

母子生活支援施設入所世帯においては、母親の**59.6**％が就業している。内訳は、事業主**0.4**％、常用勤労者**13.8**％、臨時・日雇・パート**40.1**％、その他の就業**5.3**％となっている（児童養護施設入所児童等調査の概要（令和5年2月））。

答6 ×

里親委託の推進から児童養護施設への入所児童数（23,008人）は、**減少**傾向である。児童養護施設の小規模化により設置数（610か所）は、以前**増加**していたが、近年**横ばい**傾向である（社会的養育の推進に向けて（令和6年4月））。

覚えたかな？ ここでCheck！

まずはそのまま、次は赤シートで隠して、色字のキーワードを確認しよう。

□ **1** 社会的養護は、里親やファミリーホームを優先し、家庭的養護を推進している。

□ **2** 社会的養護関係施設である乳児院、児童養護施設、児童自立支援施設、母子生活支援施設などでは、3年に1回以上の第三者評価を受けなければならない。

□ **3** 少年指導員は、母子生活支援施設に配置基準がある職員である。

□ **4** 里親およびファミリーホームにおける家庭養護とは、私的な場で行われる社会的かつ公的な養育である。

□ **5** 児童心理治療施設は、入所での利用と保護者の下から通う通所の利用もある。

□ **6** 里親等委託率は、十数年一貫して増加している。

□ **7** 児童相談所における相談の種類別件数で、最も多いのは養護相談で、2番目は障害相談である。

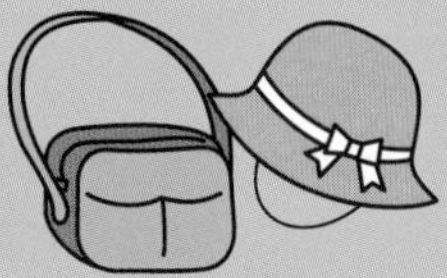

7章

子どもの保健

子どもの保健は、子どもの心身の健康増進が目標となります。心身の発育・発達、疾病等やその対応、環境や衛生管理、母子保健対策、安全管理等の理解が必要です。また、精神保健に関する知識も必要です。

子どもの保健の重要ポイント

Point 1 発育と発達の6つの原則

発育（または成長）とは、身体が形態的に大きくなることであり、発達とは機能的に充実していくことである。

①発育・発達は連続した現象である。
②発育・発達は遺伝的に決められた一定の順序で進む。
③発育は身体の各部に均等に起こるのでなく速度も一定でない。
④発育にとっては決定的に大切な時期がある。
⑤発育・発達には、方向性がある。
⑥発育・発達は相互作用によって支配される。

Point 2 生理機能の発達 ●各器官や機能の発達●

脳	脳の重量は、出生時約350g（大人の約25%）で、3歳で約80%、5～6歳で90%に達する。脳幹は、呼吸、体温調節など生命維持のために重要な中枢で、大脳は、思考言語機能をつかさどる。
骨	骨年齢は、X線検査で手骨部の仮骨化や骨の成熟度、形態をみて判定される。
歯	乳歯は妊娠初期から形成が始まり、出生時にはほぼ完成する。乳歯は20本、永久歯は32本である。
循環器	胎児循環は、出生後、肺呼吸が開始されて消失し、卵円孔や動脈管の閉鎖、臍血管の閉鎖がみられる。
胎児循環	胎盤から臍静脈を通して、酸素や栄養を多く含む血液が下大静脈、右心房に流れていく。
免疫機能	胎盤を介して母体のIgGなどが胎児に移行する母子免疫は、出生後半年間は効果がある。その後、ウイルス等の異物に対して能動免疫が成熟していく。

Point 3 感染症の感染経路と集団発生の予防

感染経路（感染する方法）	集団発生の予防
接触感染：病原体に触れた手、玩具、食器、衣類などを介し感染	手洗いや手指の消毒 タオルは共用しない

飛沫感染：咳やくしゃみなどにより、病原体がのど、鼻、眼などの粘膜に付着して感染	うがい マスク着用 咳エチケット
経口感染：病原体が、食品や手指を介し、体内に侵入し感染	食品を清潔に取り扱う 十分な加熱 調理器具の洗浄、消毒
血液感染：血液に触れて、その中に含まれる病原体が体内に侵入することで感染	他人の傷口に触れない コップ、タオルは共用しない

Point 4 子どもに関する人口動態統計

		令和5年（概数）	令和4年
出生率	出生数／人口×1,000	（人口千対）6.0	6.3
乳　児 死亡率	1歳未満の死亡数／出生数×1,000	（出生千対）1.8	1.8
新生児 死亡率	生後4週（28日）未満の死亡数／出生数×1,000	（出生千対）0.8	0.8
合計特殊 出生率	15歳～49歳の女性の年齢別出生率を合計したもの	1.20	1.26

Point 5 主な予防接種の種類

種類（①生ワクチン ②不活化ワクチン）			対象疾患
定期接種	①	BCGワクチン 水痘ワクチン MR2種混合ワクチン ロタウイルスワクチン	結核 水痘（水ぼうそう） M：麻しん、R：風しん ロタウイルス性下痢症
	②	DPT-IPV-Hib（5種混合） 日本脳炎ワクチン B型肝炎ワクチン 肺炎球菌ワクチン	D：ジフテリア、P：百日咳、T：破傷風、IPV：不活化ポリオ、Hib：ヒブ感染症 日本脳炎 B型肝炎 肺炎球菌感染症
任意接種	①	流行性耳下腺炎ワクチン	流行性耳下腺炎（おたふくかぜ）
	②	インフルエンザワクチン	インフルエンザ（定期接種の対象となる65歳以上などの高齢者除く）

Point 6 子どもにみられる症状とその対処

発熱	発熱とは、平熱よりも1.0℃以上高い状態等をいう。水分補給を十分に行う。熱が高くても、悪寒、手足の冷感がある時は保温、高温時は冷却し、放散させる。解熱剤の使用には注意する。
嘔吐	嘔吐物が気道に入らないように、横向きに寝かせる。意識状態や顔色等の全身状態を観察する。頻回の嘔吐は脱水に注意が必要。嘔吐物を処理する時は、手袋、マスクを着用し換気する。
下痢	便の性状等のほか、全身状態を観察し経過を記録する。ウイルス感染が原因の場合、感染予防が必要である。脱水になりやすいため、水分補給をする。
けいれん	意識、呼吸を観察する。嘔吐があれば顔を横向きにする。
鼻出血	鼻中隔前端部（キーゼルバッハ部位）からの出血が多い。鼻中隔方向に約15分間圧迫して止血する。

Point 7 子どもによくみられる疾病とその特徴

糖尿病	1型糖尿病：膵臓のインスリン作用が低下。インスリン依存型糖尿病。子どもに多い。 2型糖尿病：不健康な生活習慣が原因で発症。インスリン非依存型糖尿病。
腸重積症	突然の腹痛、血便、激しく泣く。
発育性股関節形成不全	女児に多い。おむつをきつく締めすぎない。
気管支喘息	アトピー素因、呼気時の喘鳴《ぜんめい》が特徴。
アトピー性皮膚炎	アトピー素因、ダニやホコリ、紫外線や汗、ストレスで悪化。
食物アレルギー	主要原因：鶏卵、乳製品、小麦、木の実類。かゆみやじんましんなどの皮膚症状が最も多く、呼吸器症状（咳、呼吸困難）、消化器症状（吐き気、嘔吐）等も出現する。
手足口病	A群コクサッキーウイルスまたはエンテロウイルス。手足や口に水疱ができる。

Point 8 子どもに注意すべき感染症

百日咳	百日咳は、かぜ症状で始まり、しだいに咳が増えて激しくなる。短い咳が連続的に起こり（スタッカート）、吸気時に笛様の音をさせ、特有のけいれん性の咳嗽発作を繰り返す（レプリーゼ）ことが特徴である。特に夜間の発作が多い。
麻しん	38℃前後の高熱、咳、鼻汁、結膜充血、目やにがみられる。一時解熱すると、頰の内側に小斑点（コプリック斑）が出現する。この時期の感染力が最も強い。再度40℃まで発熱し、紅斑性丘疹が耳後部から顔面へ現れて下方に広がる。肺炎、中耳炎、熱性けいれん、脳炎を併発する可能性がある。
風しん	発熱、発疹、リンパ節腫脹（ことに耳介後部、後頭部、頸部）がみられる。解熱すると、急速に感染力は消失する。血小板減少性紫斑病、急性脳炎等の合併症のほか、妊娠前半期の妊婦の初感染による出生児の先天性風しん症候群（先天性心疾患、難聴、白内障、網膜症など）に注意が必要である。
腸管出血性 大腸菌感染症 （O-157等）	菌の付着した食物や、手指を介しての経口感染である。激しい腹痛と水様便や血便、菌が産生する毒素による溶血性尿毒症症候群や脳症を合併することがある。患者発生時には速やかに保健所に届け出る。
ノロウイルス 胃腸炎	冬季に流行するウイルス性胃腸炎で、汚染された飲料水や食物（生カキ、サラダ等）、感染者の嘔吐物や糞便の不十分な汚物処理により、容易に集団感染を引き起こす。潜伏期間は12～48時間で、嘔吐、下痢、腹痛、発熱等の症状が出現し、症状消失後も3週間程度糞便中にウイルスは排泄され、感染の可能性がある。次亜塩素酸ナトリウムによる消毒が有効である。

Point 9 児童虐待の防止等に関する法律

第6条第1項　児童虐待を受けたと思われる児童を発見した者は、速やかに、これを市町村、都道府県の設置する福祉事務所若しくは児童相談所又は児童委員を介して市町村、都道府県の設置する福祉事務所若しくは児童相談所に通告しなければならない。

Point 10 感染症と出席停止期間（第2種学校感染症）

インフルエンザ（鳥インフルエンザ〔H5N1〕を除く）	発症した後5日を経過し、かつ、解熱した後2日（幼児にあっては3日）を経過するまで
百日咳	特有の咳が消失するまで、または5日間の適切な抗菌性物質製剤による治療が終了するまで
麻しん	解熱した後3日を経過するまで
流行性耳下腺炎	耳下腺、顎下腺、舌下腺の腫脹が発現した後5日を経過し、かつ全身状態が良好になるまで
風しん	発疹が消失するまで
水痘	すべての発疹が痂皮化するまで
咽頭結膜熱（プール熱）	主要症状が消退した後2日を経過するまで
結核及び髄膜炎菌性髄膜炎	病状により学校医その他の医師において感染のおそれがないと認めるまで

Point 11 子どもの心の問題とその特徴

精神発達遅滞	知的能力の遅れ
運動発達遅滞	運動機能の発達の遅れ
自閉スペクトラム症（ASD）	社会的コミュニケーションの障害及び相互関係における持続的障害 限局された反復する行動、興味、活動
限局性学習障害（SLD）	読字障害、算数障害、書字表出障害 学童期以降に明らかになる
チック障害	運動チック、音声チック
排泄障害	遺尿症、遺糞症
分離不安障害	大切な人から離れることに強い不安を抱く
場面（選択性）緘黙《かんもく》	特定の場面や状況でまったく話せなくなる

Point 12 事故防止と安全

緊急時の救急要請：躊躇せずに救急車を呼ぶ。
小児の一次救命処置：胸骨圧迫と人工呼吸からなる心肺蘇生（CPR）や自動体外式除細動器（AED）を用いて、呼吸停止、心停止の子どもを救命するために行う緊急処置である。
乳幼児突然死症候群（SIDS）：主として睡眠中に発症する原因不明の突然死である。リスク要因として、うつぶせ寝、人工栄養、養育者の喫煙があげられる。

分類		対応
誤飲	異物を誤って飲むこと	すぐに口の中を確認し異物を取り除く 判断に迷う場合は医療機関を受診
誤嚥	異物が気道に入ること	気道異物除去を行い、緊急時は救急車を要請

気道異物除去（反応がある場合）	
背部叩打《こうだ》法	乳児：片方の手で乳児の顎を持ち、腕にうつぶせにして頭部を低くし、背部を強く叩く 幼児：手の付け根で背部を力強く連続して叩く
腹部突き上げ法（ハイムリック法）	傷病者を後ろから抱えるように腕を回し、片手で握りこぶしを作り、へそより上方でみぞおちより下方に当て、素早く手前上方に圧迫し突き上げる

Point 13 母子保健対策とその対象

	母子保健対策	対象
保健対策	妊娠の届出及び母子健康手帳の交付	妊娠の届出をした妊婦
	未熟児養育医療	出生時体重2,000g以下等
	乳児家庭全戸訪問事業（こんにちは赤ちゃん事業）	生後4か月までの乳児のいる全家庭
健康診査	乳幼児健康診査	4か月児、1歳6か月児、3歳児
	マススクリーニング検査*	新生児

＊タンデムマス法：多くの先天性代謝異常症等を早期に発見する検査

Lesson 1

子どもの健康と保健の意義

問1 新生児とは、出生後28日（4週）未満の子どものことである。

でる

問2 2023（令和5）年の出生数は、72万7,277人（概数）と過去最低を記録し、出生率は人口千対6.0である。

問3 保育所保育において、子どもの生命及び安心の確保は、子どもの健康の保持と健やかな生活の基本である。

問4 合計特殊出生率は、20歳から49歳までの女性の年齢別出生率を合計したものである。

でる

問5 「令和5年人口動態統計月報年計の概況」によると、2023（令和5）年の日本の合計特殊出生率は、1.5を下回っている。

問6 乳児死亡率とは、出生1万対に対する乳児死亡数で表す。

問7 健康とは、おおむね肉体的、精神的及び心理的福祉の状態であり、単に不健康または病弱の存在しないことではない。

1回目 /7点　2回目 /7点

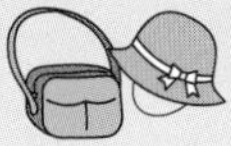

答1 ○

生後28日未満を新生児、生後1年未満を乳児、生後1年以降小学校就学前までを幼児、小学校入学から高等学校卒業までを児童・生徒と区分される。

答2 ○

前年の出生数77万759人より4万3,482人減少し、出生率も6.3より低下した。出生数、出生率ともに8年連続で減少している。

答3 ×

保育所保育において、子どもの健康及び安全の確保は、子どもの生命の保持と健やかな生活の基本であると、保育所保育指針に明記されている。

答4 ×

合計特殊出生率は、15歳から49歳までの女性の年齢別出生率を合計したもので、一人の女性が一生に産むとされる子どもの数に相当する。

答5 ○

日本の合計特殊出生率は、2023（令和5）年では1.20である。1995（平成7）年以降は1.5を下回っている。

答6 ×

年間出生千対に対する生後1年未満の死亡数を指す。2023（令和5）年の乳児死亡率は1.8である。

答7 ×

WHO憲章前文の定義によれば、健康とは、完全な肉体的、精神的及び社会的福祉の状態であり、単に疾病または病弱の存在しないことではない。

Lesson 2

子どもの発育・発達と保健（1）

問1 新生児は、出生後の1年で体重は約3倍、身長は約1.5倍に成長する。

でる

問2 身体が形態的に大きくなることを発育、機能的に成熟していくことを発達といい、発育と発達とは全く関連がない。

でる

問3 子どもの発育・発達は、連続した現象で、遺伝的に決められた一定の順序で進み、機能的な成熟は中心部から末梢へと向かって起こる。

問4 頭囲を計測するときは、前方は左右の眉の直上、後方は後頭部の一番突出しているところを通る周径を計測する。

問5 胎児循環には、卵円孔、動脈管が存在し、出生後、肺呼吸が開始されると消失する。

問6 身体測定で得られた数値の評価の基準となるのは、乳幼児身体発育曲線である。

問7 子どもは、1歳ころになると、尿意を我慢して、トイレで排尿できるようになる。

1回目 /7点　2回目 /7点

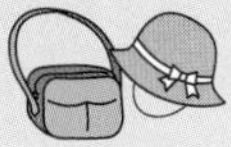

答1 ○

出生時の平均身長は約50cm、体重は約3,000gであり、数日の生理的体重減少を除けば順調に増加し、生後1年で身長は約1.5倍の約75cm、体重は約3倍の約9kgになる。

答2 ×

身体が大きくなっていくことを発育（成長）といい、身体の動きが機能的に高まることを発達という。発育と発達は密接に関連している。

答3 ○

機能的な成熟には方向性があり、近遠方向（中心部から末梢）、頭尾方向（頭部から尾部）などがある。個人差が大きい。

答4 ○

出生時頭囲は、胸囲よりも少し大きく、33cmくらいで、1歳で頭囲は、胸囲とほぼ同じくらいになる。

答5 ○

胎児循環は、肺呼吸の開始とともに、卵円孔や動脈管の閉鎖、臍血管の閉鎖がみられ、心臓、血管系の解剖学的変化が生じる。

答6 ○

一般的に乳幼児身体発育曲線が使われ、母子健康手帳にも記載されている。3および97パーセンタイル曲線の帯の中に入っていれば、問題ないと判断される。

答7 ×

乳児は、膀胱に尿がたまると反射的に排尿するが、3〜4歳ころになると大脳で尿意をコントロールしてトイレで排尿できるようになる。

Lesson 3

子どもの発育・発達と保健（2）

問1

新生児の体液のうち細胞内液（細胞の中の水分）は、細胞外液（血漿、組織液、リンパ液など）より多い。

でる

問2

カウプ指数は、主に乳幼児の栄養状態を知るための体形指数で、おおよそ 15～19未満が標準である。肥満度は肥満判定に用いられる。

でる

問3

スキャモンの器官別発育曲線で、神経型は、運動機能の発達と同様に学童期に急激な増加を示す。

問4

乳児の脈拍数や呼吸数は、成人より多く、体温や血圧は、成人より高い。

問5

新生児の体重は、出生後増加し続け、減少することはない。

問6

免疫は、体内に侵入する病原体を攻撃する機能であり、乳児は母親由来の免疫グロブリンIgGにより、出生後6か月くらいまで感染から防御される。

問7

大泉門とは、額の上部にあるひし形のすき間のことをいい、正常な発達をしている乳児では、生後6か月頃までに閉鎖する。

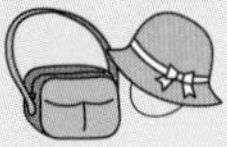

答1 ×

新生児の体液は、体重の約80%を占め、そのうち35%が細胞内液で45%が細胞外液である。一方、成人では体液は、60%、そのうち細胞内液40%、細胞外液20%である。

答2 ○

肥満度は、実測体重が標準体重からどの程度離れているかを%で示したものである。カウプ指数は、「体重g／（身長cm）^{2} ×10」で計算される。

答3 ×

神経型は乳幼児期に最も急速に発達する。一般型（身長・体重）は乳児期と思春期に、リンパ系型は7〜12歳位に、生殖型は思春期に急速に発育する。

答4 ×

乳児は、新陳代謝が盛んなため、脈拍数や呼吸数は成人より多く、体温は高めであるが、血管の壁が薄く硬化が少ないため、血圧は低めである。

答5 ×

生後3〜5日経つと、尿、胎便、不感蒸泄などが摂取量よりも多いために体重が5〜10%ほど減少することを生理的体重減少という。

答6 ○

免疫グロブリンには、5種類（IgA、IgG、IgM、IgD、IgE）あるが、IgGだけが母親の胎盤を通過する。また、母乳にはIgAが多く含まれる。

答7 ×

正常な発達をしている乳児では、大泉門は生後6か月〜2歳で閉鎖する。なお、後頭部の三角形のすき間を小泉門といい、生後2か月頃に閉鎖する。

Lesson 4

子どもの発育・発達と保健（3）

問1

子どもの脳の重量は、出生時約350gである。脳の仕組みについて、前頭葉の機能は、運動に関連する領域と、知覚を司る領域に大別される。

でる 問2

1歳半から2歳くらいになると、「ママ　だっこ」などの二語文を話すようになる。

でる 問3

生後6週頃から乳歯の基ができ、生後8～9か月頃に乳歯が、6～8歳頃に永久歯が生えそろう。

でる 問4

母子健康手帳に記載されている便色カードは、先天性胆道閉鎖症の早期発見に役立つ。

問5

原始反射は、出生時から見られる反射運動であり、通常成長するまで持続する。

でる 問6

乳児の便の色は、黄、緑、茶色が正常で、異常な便の色は、白、黒、赤等である。

でる 問7

バビンスキー反射とは、仰臥位で頭を一方に向けると、向けた方の上下肢が伸展する反射で3～5か月頃消失する。

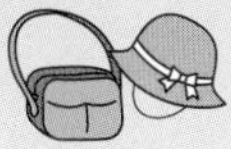

答1 ○

脳の重量は、出生時約350g（大人の約25%）で、出生後急速に増加して3歳で約80%、5～6歳で約90%に達する。

答2 ○

言葉の発達は、0歳代の「アー」などのクーイングや「バババ」などの喃語、1歳頃には意味のある「だっこ」などの単語、1歳半から2歳頃には二語文を発するように進む。

答3 ×

在胎6週頃から乳歯の基ができ、生後8～9か月頃に乳歯が、6～8歳頃に永久歯が生え始める。乳歯は合計20本、永久歯は32本生える。

答4 ○

先天性胆道閉鎖症は、新生児の長引く黄疸、灰白色の便などで早期発見、早期治療が可能であり、母子健康手帳の便色カードはその鑑別に役立つ。

答5 ×

原始反射（吸啜反射、モロー反射、探索反射、把握反射、緊張性頸反射など）は、生まれつき備わった反射で、大脳の発達とともに、ほぼ生後半年内に消失する。

答6 ○

生後4か月くらいまでは、便の色に注意が必要である。母子健康手帳に掲載されているカラーの便色カードで判別し、胆道閉鎖症などの病気の早期発見に努める。

答7 ×

記述は、緊張性頸反射のことである。バビンスキー反射（足裏反射）とは、足の裏の外側をこすると、足の親指が甲の側に屈曲する反射で、2歳ごろまでに消失する。

Lesson 5

子どもの発育・発達と保健（4）

問1 発熱とは、一般的に37.5℃以上をいう。また、平熱よりも1℃以上高い状態も発熱とみなすことができる。発熱時は、脱水に注意し水分摂取を促す。

でる 問2 身体的成長には、成長ホルモンが関わり、レム睡眠時に分泌が活発になる。

でる 問3 哺乳反射は、口の中に何か入ると吸啜する反射で、モロー反射は、頭を持ち上げ離すと抱きつくように屈曲する反射である。

問4 肥満度とは、肥満の判定に用いられ、10％以上は太りすぎである。

でる 問5 運動機能の発達は、「寝返り→首のすわり→おすわり→はいはい→つかまり立ち→ひとり歩き」の順で進む。

問6 高張性脱水症では、水分喪失より血中ナトリウム濃度が低下して発症する。

答1 ○

発熱は、身体を守るための生体防御機能の一つであり、発熱することで白血球を活性化し、免疫機能を高めることができる。そのため、発熱が軽度のときには解熱剤を使用せず、冷却（クーリング）を行う。

答2 ×

レム睡眠の特徴が、急速眼球運動「Rapid Eye Movement」で、その頭文字をとってREM睡眠と呼ばれ、夢を見る浅い眠りである。ノンレム睡眠は、静的な睡眠で脳は休息し、成長ホルモンの分泌が活発になる。

答3 ○

哺乳反射は、新生児にみられる反射で、生後4～5か月頃に消失する。モロー反射は、通常、生まれた直後からみられる反射で、生後3～４か月頃に消失する。

答4 ×

肥満度は、標準体重に対して何%上回っているかを示すものであり、幼児では、20%以上30%未満は軽度の肥満、30%以上50%未満は中等度の肥満、50%以上は高度の肥満とされている。

答5 ×

首のすわり（生後3～4か月頃）→寝返り（生後5～6か月頃）→おすわり、はいはい（生後7～8か月頃）→つかまり立ち（生後9～10か月頃）→ひとり歩き（1歳～1歳6か月頃）の順で進む。

答6 ×

記述は、低張性脱水症である。脱水症は、血清Na濃度によって高張性脱水、等張性脱水、低張性脱水に分類され、高張性脱水では、主として水分が失われた状態である。

Lesson 6

子どもの発達障害と心の健康（1）

でる

問1 注意欠如・多動症（ADHD）の子どもへの対応として、注意が散漫にならないように大きな声で指示を出すとよい。

問2 知的発達症は、発達期までに生じた知的発達障害により、認知能力や適応能力の発達が全般的に遅れた水準にある状態を指す。

問3 チック症は、女児に多くみられ、単純運動チックではまばたき、単純音声チックでは咳払いなどの症状がある。

問4 強迫症には、爪かみ、抜毛症、ヘッドバンキングなどがあり、精神疾患に分類される。

でる

問5 限局性学習症（SLD）は、主として学童期以降に診断が確定される。

問6 分離不安症は、母親が離れようとするときに胃痛や頭痛が生じるなどの症状がある。

でる

問7 場面（選択性）緘黙とは、言語能力が正常で話しかけても全く反応がないことをいう。

1回目 /7点　2回目 /7点

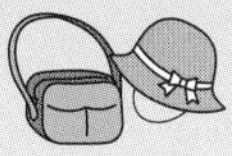

答1 ×

注意欠如・多動症（ADHD）は、多動・不注意・衝動性などが認められる。やるべきことや予定を視覚的に示すと指示が伝わる。

答2 ○

知的発達症の診断は、通常平均スコアが100である知能指数（IQ）スコアが70以下に加え、適応能力により、軽度、中度、重度、最重度に分類されることが多い。

答3 ×

チック症は、男児に多い。症状は、記述のとおりである。脳神経の機能異常が原因とされ、ストレスによって症状が増減する。

答4 ○

抜毛症は、自分の体毛を自分で引き抜く自傷行為のひとつ。幼児期から思春期までの女児に多い。

答5 ○

限局性学習症（SLD）は、読み・書き・計算・運動などに困難さがみられる。就学後の学習場面で気付くことが多いため、主として学童期以降に明らかとなる。

答6 ○

分離不安症は、愛着を抱いている人との分離の際に不安を示し、泣く、しがみつくなど分離されることを極度に嫌がることである。

答7 ×

場面（選択性）緘黙とは、特定の場面や状況で全く話せなくなる状態のことをいう。主に家庭で話せていて保育所等で話をしないことがある。

Lesson 7

子どもの発達障害と心の健康（2）

でる
問1 自閉スペクトラム症（ASD）の特徴として、反復的な行動や強いこだわりがあり、コミュニケーションが苦手で、注意欠如多動症（ADHD）が同時に診断されることもある。

でる
問2 子どもへの虐待が疑われる場合、「疑い」の段階で通告を行ってはならない。

問3 う歯が多い、着衣が汚れている、爪が伸び放題である場合には、経済的貧困を疑い、保護者に生活保護窓口を案内する。

問4 虐待に至るおそれのある要因（リスク要因）として、保護者側の要因に、若年での妊娠・出産があげられる。

問5 心的外傷後ストレス症（PTSD）とは、死の危険に直面するなど恐ろしいことが起こった後、その体験の記憶が自分の意志とは関係なく、フラッシュバックのように思い出されることである。

問6 児童虐待の対策に当たる中心的な機関は、市町村の保健センターである。

1回目 /6点　2回目 /6点

答1 ○

子どもへの対応として、耳を塞いで不快そうにしているときは、静かな場所に移動したり、絵や写真を使って見通しが持てるようにする。発達障害は、合併しやすく、症状や特性も似ていて鑑別も難しい。

答2 ×

子どもへの虐待の疑いがある場合は、保育士には行政もしくは児童相談所などへ、速やかに通告する義務がある。その後の虐待の事実の検証については、児童相談所などで行うこととなっている。

答3 ×

記述は、ネグレクトを疑う。病気（う歯を含む）があっても受診をしない場合もネグレクトの一つと考えられる。

答4 ○

その他の保護者側の要因として、自身の被虐待経験や、経済的な問題などがある。

答5 ○

心的外傷後ストレス症（PTSD）は、辛さのあまり現実感がなくなったりする状態をいい、災害や事故、虐待などが原因となっておこる。

答6 ×

児童虐待対策の中心的な機関は、児童相談所や福祉事務所である。市町村の保健センターは、母子保健事業の一環として、児童虐待の早期発見や発生予防に対応する。

Lesson 8

子どもの疾病と保育（1）

でる

問1 保育所では、市販の解熱剤、止瀉薬《ししゃやく》などを常備して、具合の優れない子どもに与えられるようにしておく。

でる

問2 高熱時には、部屋を十分に暖め、厚着をさせて、厚手の寝具にし、解熱するまで身体が冷えないようにする。

問3 頭部を打撲後に頭痛や吐き気、嘔吐がみられたら必ず病院を受診する。

でる

問4 子どもが昨夜一時的に38℃の発熱であったため解熱剤を使用し、翌日朝解熱した場合は登園させてもよい。

でる

問5 子どもが痙攣《けいれん》を起こしたら、体をゆすって意識の有無の確認を行い、周囲に助けを求める。

問6 てんかんでは、脳波の異常が認められ、症状としては全身または一部の筋肉が収縮するけいれん発作や意識を消失することがある。

問7 発育性股関節形成不全は、男児に多く、予防のためには、おむつ交換のときに足を伸ばして、ぴったりとおむつを当てる方がよい。

1回目 /7点　2回目 /7点

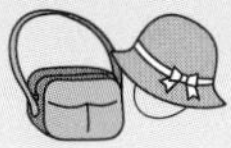

答1 ×

保育所での子どもへの与薬は、前もって保護者に医師名、薬の種類、服用法等を記載した与薬依頼書を提出してもらった薬に限る。

答2 ×

高熱時は、薄着にし冷却を行い、熱を放散させ、汗をかいたら着替えをする。ただし、悪寒がある場合には、部屋を十分暖め厚着をさせる。

答3 ○

子どもは体に比べて頭部が大きいため頭部を打撲することが多い。症状がみられたら速やかに受診、検査をする。受傷後24時間は注意して観察する。

答4 ×

24時間以内に38℃以上の熱が出た場合、または解熱剤を使用している場合は登園を控えるよう保護者に伝えておく。

答5 ×

体をゆする等、刺激を加えると痙攣は長引くことがある。静穏な環境で痙攣の開始・終了・持続時間を確認し、発作の様子を観察する。

答6 ○

てんかんは種々の成因により起きる慢性の脳疾患で、脳波の異常が認められる。発作時は周囲の安全を確保し、発作が起きた時間と状況を確認する。

答7 ×

女児に多い発育性股関節形成不全の予防には、お尻を少し持ち上げておむつを交換し、足の動きを阻害しないようおむつを当てる、などに気をつける。

Lesson 9 子どもの疾病と保育（2）

問1 熱中症は、夏季、高温となる炎天下で発症し、室内で発症することはない。

でる
問2 乳幼児の食物アレルギーの原因食物は、鶏卵が最も多い。

問3 アレルギーは、免疫機能が障害を受けて働かないことによって発症する。

問4 アドレナリン自己注射を持参している子が、食後まもなくアナフィラキシー症状を呈した。管理職が不在だったため救急車を呼び、救急隊員に注射してもらった。

問5 気管支喘息は、喘鳴《ぜんめい》を伴う呼吸困難の発作を繰り返し、アトピー素因（アレルギーと関係ある免疫物質IgE抗体を持つ）が認められる。

でる
問6 アトピー性皮膚炎は、アトピー素因を背景としたかゆみを特徴とする皮膚炎である。かゆみが出た場合は、かゆみ止めを塗布する。

問7 伝染性膿痂疹は、とびひといわれ、浸出液が多い状態では感染する可能性があるため、登園禁止である。

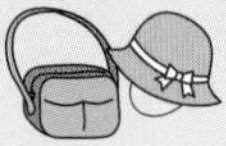

答1 ×

熱中症は、高温多湿の環境で発症するため、夏季直射日光下だけでなく、冬季でも温度調節機器のない車中や風呂場などの室内でも発症し、体温調節能力の弱い小児に好発する。

答2 ○

食物アレルギーの主要原因は、鶏卵、乳製品、小麦、木の実類である。食物アレルギーの有症率は、乳幼児期が最も高く、成長とともに減っていく傾向にある。

答3 ×

記述は、免疫不全症に関するものである。アレルギーは、体内に侵入した病原体などの異物を攻撃して感染から防御する免疫が、特定の物質に対し過剰に働くことで引き起こされる。

答4 ×

記述の状況では、保護者を含む事前の取り決めに基づき、管理職が不在であっても注射する。太もも・前外側に打つ。

答5 ○

気管支喘息は、呼吸をするときにゼイゼイといった喘鳴を伴う呼吸困難の発作を繰り返す。誘因は、細菌やダニ、ハウスダストなどである。

答6 ×

かゆみが強いときは、冷たいタオルや保冷剤で冷やすことが効果的である。保育所では、薬の塗布や与薬は基本行わない。

答7 ×

浸出液が多い状態であっても、しっかりガーゼ等で覆って保護すれば登園しても問題ない。

Lesson 10

子どもの疾病と保育（3）

問1 感染症流行時、保育所は学校組織ではないため、学校等欠席者・感染症情報システム等は使用しない。

問2 飛沫感染は、感染者の咳やくしゃみなどの飛沫が飛び散る周囲2mの範囲で起こりやすい。

問3 感染症の疑いのある子どもに気づいた時は、体温を測定し、子どもの症状や体調の変化等について記録を行い、別室で保育する。

でる 問4 「保育所における感染症対策ガイドライン（2018年改訂版）2023年5月一部改訂」によれば、通常のインフルエンザに罹患した場合、5日間休むことが求められる。

問5 流行性耳下腺炎に罹患した場合は、耳下腺の腫脹が消失すれば登園してもよい。

でる 問6 麻しんに罹患したら、解熱した後3日を経過するまで登園を控える。

でる 問7 生後2か月から標準的な接種を推奨されているワクチンは、ロタウイルス・5種混合・肺炎球菌ワクチンであり、同時接種することができる。

1回目 /7点　2回目 /7点

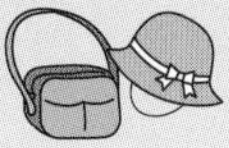

答1 ×

保育所も学校等欠席者・感染症情報システム等を活用し、地域の感染症流行状況を把握しておくと良い。毎日入力することで状況を**リアルタイム**に把握、関係機関と**情報共有**できる。

答2 ○

飛沫感染は、感染している者から２m以上離れていて、感染者が**マスク**を装着していれば、保育所での集団発生は、予防できる可能性がある。集団の場では、**咳エチケット**が重要である。

答3 ○

保護者に連絡をとり、**記録**をもとに症状や経過を正確に伝え、適宜、**嘱託医**、**看護師**に相談し、指示を受ける。

答4 ×

発症した日の翌日から5日を経過し、かつ**解熱**した日の翌日から**2**日（幼児にあっては**3**日）経過するまでなので、5日以上になることもある。

答5 ×

耳下腺、顎下腺、舌下腺の腫脹が発現した後**5**日を経過し、かつ**全身状態**が良好になるまで登園を控える。病原体は、ムンプスウイルスである。

答6 ○

麻しんは、**カタル**期から**発疹**期に感染性があり、解熱すると**回復**期に入り、感染性が低下する。口中に**コプリック斑**（白い斑点）ができる。

答7 ○

生後2か月から標準的な接種を推奨されているのは、**ロタウイルス**・**B型肝炎**・**肺炎球菌**であり、2024（令和6）年4月より、4種混合とHibを混合した**5種混合**が導入された。

Lesson 11

子どもの疾病と保育（4）

でる

問1 感染症に罹患すると必ず発熱するので、発熱していなければ問題はない。

問2 結核は、結核菌が経口感染し起こるもので、乳幼児はかかりにくい。

問3 保育中にアタマジラミを発見した場合には、感染拡大防止のため当該の子を別室保育とする。

でる

問4 おたふくかぜワクチンは、定期接種であり生後12か月から行う。

問5 ワクチンの接種間隔は、生ワクチン同士を接種する場合、20日以上あける。

問6 ファロー四徴症とは、先天性の心疾患であり、難病に指定されている。

問7 ダウン症は、染色体異常症のなかで最も頻度が高い。

1回目 /7点　2回目 /7点

答1 ×
感染者は症状がなくても感染源となりうる。潜伏期間（病原体が体内に入ってから発症するまでの期間）があり、全く症状のない不顕性感染もある。

答2 ×
結核菌が空気感染することで起こり、症状は長びく咳、呼吸困難等である。乳児は重症化しやすいので、生後5～8か月にBCG生ワクチンを接種する。

答3 ×
午睡時には、子どもの頭と頭を接しないよう布団を敷く、帽子や寝具を共用しない等の対策をとる。

答4 ×
おたふくかぜワクチンは、任意接種であり、1歳を過ぎたら接種可能である。

答5 ×
生ワクチン同士は4週間以上あけ、その他のワクチンの接種間隔の制限はなくなった。

答6 ○
ファロー四徴症は、心室中隔欠損、大動脈騎乗、肺動脈狭窄・漏斗部狭窄、右室肥大の4つの特徴を持つ。

答7 ○
ダウン症は、21番目の染色体が通常2本のところ3本になる（21トリソミー）によって発症する。特徴的な顔貌のほか、精神発達遅滞、低身長、筋緊張低下などを認める。

Lesson 12

子どもの疾病と保育（5）

でる

問1 予防接種には、定期接種と任意接種がある。

でる

問2 医療的ケア児とは、人工呼吸器や胃ろう等を使用し、痰の吸引や経管栄養などの医療的ケアが日常的に必要な児童のことをいう。

問3 認定特定行為業務従事者とは、一定の研修を修了し、業務の登録認定を受けた保育士等のことをいう。

問4 溶連菌感染症は、感染してから1～3週間後に急性糸球体腎炎やリウマチ熱などを合併することがある。

問5 川崎病とは、乳児に多く、間欠的腹痛、嘔吐、血便（イチゴゼリー状）がみられ、時間経過とともに腸管の血流障害が進行する病気である。

でる

問6 糖尿病には、自己免疫の異常などで発症する1型と、生活習慣が関与する2型があり、子どもには1型糖尿病が多い。

1回目 /6 点　2回目 /6 点

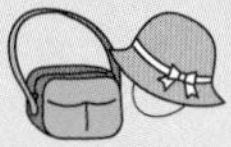

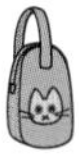

答1 ○

予防接種は、予防接種法に基づき接種時期などが定められている定期接種と個人の判断で接種する任意接種がある。さらに定期接種はA類疾病とB類疾病に分類される。
※新型コロナは2024年4月よりB類疾病に分類された。

答2 ○

医療技術の進歩が背景にあり、2021（令和3）年は20,180人となっている。2016（平成28）年に児童福祉法の一部が改正され、医療を要する障害児が適切な保健、医療、福祉の支援が受けられるように明記された。

答3 ○

2011（平成23）年の社会福祉士及び介護福祉士法の一部改正で、研修を修了した保育士等も、医師の指示の下に、痰の吸引、経管栄養の行為を実施できる。

答4 ○

急性腎炎やリウマチ熱などの合併症は、感染により生成された免疫グロブリンが細胞傷害を引き起こすことにより発症し、3～10歳に多い。抗生物質の使用により、合併症の頻度は減少している。

答5 ×

記述は、腸重積症のことをいう。川崎病は、乳幼児に多く、原因不明の病気で、症状として発熱や発疹、眼球結膜の充血、口唇の紅潮といちご舌、頸部リンパ節腫脹などがみられる。

答6 ○

1型糖尿病は、膵臓のランゲルハンス島のβ細胞の破壊によりインスリンが適切に分泌できず高血糖になる疾患であり、子どもの発症が多い。成人に多い2型糖尿病は、運動不足や食生活などの環境因子が発症に関与する。

Lesson 13

環境及び衛生管理並びに安全管理

でる **問1** 保育中に発疹が時間とともに増加した場合には、保護者に連絡し受診が必要であると思われることを伝える。

問2 感染症が疑われる嘔吐物で汚染された衣服は、二重ビニール袋で密閉し、保育所では洗わずに、そのまま家庭へ返却する。

問3 食事中の誤嚥を防ぐためのポイントは、食べ方に注意が必要な食材は、危険なので食べさせないようにすることである。

問4 窒息時のサインをチョークサインといい、窒息を起こしたときに両手を交差させてのど元をつかむような動作をいう。

でる **問5** 保育所での通常時（感染症が流行していない時）の手指衛生は、石鹸を用いて流水でしっかり手洗いをする。

問6 1歳児の靴は身長が大幅に伸びるため、成長を鑑み、少し大きめのサイズの靴を履かせる。

でる **問7** サルモネラ菌、カンピロバクター菌、O157などの細菌性食中毒は、夏季に多発する。

答1
○

発疹の対応として、**発熱**を伴う場合や**複数**の子に類似発疹がある場合には、**別室保育**とする。

答2
○

保育所における感染症対策ガイドラインによると、感染拡大防止のため、子どもの衣類は**水洗いせず返却**する。処理には**使い捨て手袋**等を使用する。

答3
×

食べさせないようにするのではなく、**細かく切る**など工夫して食材を提供する。子どもの口に合った量で、**汁物**や**水分**を適切に与える。

答4
○

幼児が窒息したときには、背部を強くたたく方法（**背部叩打《こうだ》法**）とみぞおちの下で握り拳にして腹部を上へ圧迫する方法（**ハイムリック法**）がある。

答5
○

下痢・感染症発生時には、石鹸・流水で手洗いをした後、**消毒用エタノール**で手指を消毒する。**次亜塩素酸ナトリウム**は手指消毒には適さない。

答6
×

靴は、**足に合ったもの**を**正しく履いているか**確認する。衣類は、**身体のサイズ**に合った衣類を着せる。

答7
○

細菌性食中毒は、**高温多湿**の夏季に多発し、予防の3原則は、**つけない**、**増やさない**、**やっつける**である。ノロウイルスなどのウイルス性食中毒は、低温で乾燥する冬季に多発する。

Lesson 14

事故防止と安全対策

問1 子どもが倒れて意識がなく呼吸がみられないときは、背部叩打《こうだ》を行い、救急車を要請する。

でる 問2 乳幼児突然死症候群（SIDS）は、睡眠中の原因不明の窒息が死亡原因であり、多くは1歳以上で発症する。

問3 心肺蘇生法を1人で行う場合、胸骨圧迫は40回に対して人工呼吸を2回行い、1分間に140回の速さで行う。

問4 肝炎ウイルスキャリアの園児が鼻出血した場合、素手で素早く止血し処置する。

問5 プール活動・水遊びで注意すべきポイントは、監視者は監視に専念し、エリア全域をくまなく確認し規則的に目線を動かして監視する。

でる 問6 「令和5年人口動態統計」では、1～4歳児の死亡原因のうち、「先天奇形、変形及び染色体異常」を除くと「不慮の事故」が最も多い。

でる 問7 園で重大事故が発生した場合には、記憶が鮮明なうちに、複数の保育士で事故記録の作成を行う。また現場検証は警察に任せる。

1回目 /7点　2回目 /7点

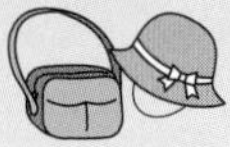

答1 ×

意識がなく呼吸がみられないときは、救急車の要請と胸骨圧迫、人工呼吸を行い、自動体外式除細動器（AED）を装着して音声指示に従う。

答2 ×

乳幼児突然死症候群は、窒息ではなく、原因は不明で1歳未満に多い。リスク要因として、うつぶせ寝、人工栄養、両親の喫煙などがあげられる。

答3 ×

胸骨圧迫30回に対して人工呼吸を2回行い、胸骨圧迫の速さは1分間に100～120回である。

答4 ×

肝炎ウイルスを含んだ唾液や血液は感染する可能性があり、感染対策として使い捨てのゴム手袋を装着し、血液が触れないように手当てを行う。

答5 ○

プール活動・水遊びの際に注意すべき他のポイントは、時間的余裕をもって行う、動かない子どもや不自然な動きの子どもを見つけるなどがある。

答6 ×

1～4歳児では、死亡原因の第1位は「先天奇形、変形及び染色体異常」、第2位は「悪性新生物」、第3位が「不慮の事故」となっている。

答7 ×

重大事故の記録は、保育者各個人が行い、見せ合ったりしない。警察の現場検証が終わったら、保育者も事故の現場検証を行う。

Lesson 15

健康・安全の実施体制及び保健活動の計画・評価

問1 疥癬《かいせん》はカビの一種であり、水虫とも言われ、抗真菌薬の投与が必要である。

でる 問2 子どもの健康管理について嘱託医と常に連携を図るとともに、保育所全体の方針や取り組みについて周知するように努める。

問3 避難訓練は消防法で義務づけられ、少なくとも1年に1回は行わなくてはならないと規定されている。

問4 保育中の事故防止のため、子どもの心身の状態を踏まえ、施設内外の安全点検に努め、安全対策で全職員の共同作業や体制作りを図る。

問5 感染症拡大防止のため、ベビーベッドの柵とマットレス・敷布団の間には2cm程度の隙間を作る。

問6 砂場の管理では、猫等が糞便をしても衛生的に保てるように、夜間は紫外線殺菌灯を継続照射しておく。

でる 問7 保健計画は、「情報収集」→「目標の設定」→「内容の設定」→「関係機関との連携・調整」→「計画の決定」の順に進めるとよい。

1回目 /7点　2回目 /7点

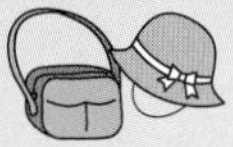

答1 ×

疥癬は、ヒゼンダニの寄生によっておこる。かゆみの強い発疹ができる。ヒトからヒトへ感染し、リネンの共有は避ける。

答2 ○

保育所内だけではなく、嘱託医等の外部との連携も重要である。嘱託医は、定期健康診断や、保育所全体の健康管理を行う。

答3 ×

消防法で義務づけられ「児童福祉施設の設備及び運営に関する基準」において、少なくとも月1回は行わなくてはならないと規定されている。

答4 ×

保育所保育指針に、共同作業ではなく共通理解するよう明記されている。家庭や地域の関係機関の協力の下に安全指導を行うことも明記されている。

答5 ×

0歳児の安全対策として、ベビーベッドとマットレス・敷布団の間には隙間を作らないようにする。

答6 ×

猫等は、できるだけ園内に入らないようにした上で、夜間は砂場をシートで覆うようにする。また定期的に掘り起こし、日光消毒をする。

答7 ○

子どもへの配慮を、クラスごとや月齢別に施した保健計画を立案し計画的に実施する。また保健計画については保護者への働きかけも重要である。

Lesson 16

母子保健対策

問1 未熟児養育医療の対象は、出生時体重2,500g以下の乳児である。

でる

問2 3歳児の健康診査では、言語・運動発達、視聴覚機能、情緒、習癖、社会性など精神面の発達、歯科などの幅広い健康診査が行われる。

問3 母子保健法では新生児訪問指導、健康診査、保健指導、母子健康手帳の交付、妊産婦の訪問指導などが定められている。

問4 産後うつは、産後７か月以降の発症が多く、有病率は2割である。

問5 こども家庭センターは、妊娠期から子育て期のサービスを担い、市町村などに設置して身近な相談を行う。

でる

問6 母子保健サービスのうち、母子健康手帳の交付、乳児健康診査、3歳児健康診査などの基本的サービスの実施主体は、都道府県である。

でる

問7 新生児マススクリーニングは、先天性代謝異常症などの疾患を早期発見、早期治療するために、新生児の唾液を採取して実施される。

1回目 /7 点　2回目 /7 点

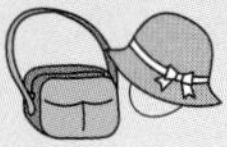

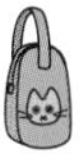

答1 ×

未熟児養育医療は、母子保健法第20条に規定され、出生時体重が2,000g以下などで、身体の発育が未熟なまま生まれた乳児に対して医療費を公費負担する制度である。

答2 ○

3歳児の健康診査では、疾病や身体的異常の検査のほか、発育発達状態の確認、歯科検診、視聴覚検査や尿検査など幅広く行われる。

答3 ○

その他、栄養の摂取に関する援助、妊娠の届出、低体重児の届出なども含まれる。

答4 ×

産後うつは分娩後数週間〜数か月頃に激しい気分の変動がみられ、10〜15%の女性が発症するといわれている。育児不安、育児疲れ等により起こる。

答5 ○

2015（平成27）年に子育て世代包括支援センターが設置され、運営は各市区町村である。2024（令和6）年4月から、子育て世代包括支援センターは、こども家庭センターへ移行した。

答6 ×

母子保健サービスのうち、母子健康手帳の交付、乳児健康診査、3歳児健康診査などの実施主体は、市町村である。

答7 ×

新生児マススクリーニングは、生後5〜7日の新生児の少量の血液を採取して実施され、タンデムマス法によりフェニルケトン尿症等の20種類以上の先天性代謝異常症等を検査する。

Lesson 17

子どもの保健と環境

でる
問1 子どもの皮膚は強いため、日焼け止めは使わずに、健康によいので積極的に日焼けを行う。

問2 生活管理指導表の保育所の生活上留意点で、防ダニシーツ等の使用という指示があった場合、ダニ等のアレルゲンを減らすために工夫したものを使用する。

問3 食事を与える時は、食事中の姿勢や、眠くなっていないか注意し、食事の後は食べ物を飲み込んだことを確認する。

問4 低年齢児が利用するビニールプールには、塩素消毒は必要ない。

でる
問5 乳児の日光浴はビタミンD不足にならないように、直接日光が当たるようにする。

問6 保育室の温度は、夏季は20℃前後、冬季は25℃前後が適当で、冷房や扇風機の風が十分に子どもに当たるように工夫する。

問7 発達障害者支援法による保育所等訪問支援は、母子保健サービスのひとつである。

1回目 /7点　2回目 /7点

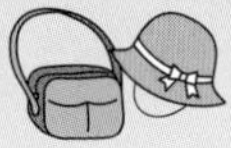

答1 ×

子どもの皮膚は、大人に比べてバリア機能が未熟なので日焼け止めを使用し、紫外線対策を行う。

答2 ◯

防ダニシーツとは、繊維や織り方の工夫でダニの通過を困難にしたシーツで、ダニ等のアレルゲン（アレルギーとなる抗原）を減らすためのものである。

答3 ◯

子どものペースに合ったタイミングと、口に合った量を与え、ゆっくり落ちついて食べることができる時間を確保する。

答4 ×

遊離残留塩素濃度が0.4～1.0mg/ℓになるよう、毎時間の水質検査が必要である。

答5 ×

日光浴により、体内でビタミンDが生成され、カルシウムの吸収が促されるが、乳児は皮膚が弱いので、直接日光に当たらないように工夫する。

答6 ×

夏季は26～28℃、冬季は20～23℃が適当で必要に応じ冷暖房器具を使用する。体温を奪われやすいため、体に直接風が当たらないように配慮する。

答7 ×

保育所等訪問支援は、改正児童福祉法により創設された障害児支援のひとつである。

覚えたかな？ ここでCheck！

まずはそのまま、次は赤シートで隠して、色字のキーワードを確認しよう。

□ **1** 健康とは、完全な肉体的、精神的および社会的福祉の状態であり、単に疾病または病弱の存在しないことではない。

□ **2** 身体が大きくなっていくことを発育（成長）、身体の動きが機能的に高まることを発達という。

□ **3** 発育・発達は、連続した現象で、遺伝的に決められた一定の順序で進む。

□ **4** 食物アレルギーの主要原因は、鶏卵、乳製品、小麦、木の実類で、皮膚症状が最も多く出現する。

□ **5** 麻しんと風しんの予防接種はMR2種混合ワクチンといい、Mは麻しん、Rは風しんのことをいう。

□ **6** 子どもへの虐待が疑われる場合には、速やかに児童相談所などへ通告する。

□ **7** インフルエンザに罹患した場合、発症後5日を経過し、かつ、解熱した後2日（幼児にあっては3日）を経過するまで登園を控える。

□ **8** 細菌性食中毒の予防の3原則は、つけない、増やさない、やっつけるである。

8章

子どもの食と栄養

各ライフステージの子どもの食生活と健康について理解を深め、現代社会の子どもの食生活を把握しましょう。栄養関連の基本的知識、病気や障害のある子どもの食生活、児童福祉施設における食生活、食育についても学びます。

子どもの食と栄養の重要ポイント

Point 1 国の健康支援

食生活指針：国民が健全な食生活を具体的に実践できるよう10項目の目標を示している。

日本人の食事摂取基準：健康な個人または集団を対象として、国民の健康の保持・増進、生活習慣病の予防、高齢者の低栄養予防を目的としている。エネルギー及び各栄養素の摂取量の基準を示すものである。

Point 2 食育の基本理念

食育基本法　2005（平成17）年成立

「食に関する感謝の念と理解」（食育基本法第3条）
「伝統的な食文化、環境と調和した生産等への配意及び農山漁村の活性化と食料自給率の向上への貢献」（食育基本法第7条）

Point 3 6つの基礎食品

区分	主な食品	主な栄養素
第1群	魚、肉、卵、大豆・大豆製品	たんぱく質
第2群	乳・乳製品、小魚、海藻類	カルシウム
第3群	緑黄色野菜	カロテン
第4群	その他の野菜、果物	ビタミンC
第5群	米、パン、めん、いも類	炭水化物（糖質）
第6群	油脂類	脂質

Point 4 主な栄養の基礎知識

■糖質

単糖類	少糖類（オリゴ糖）	多糖類
ブドウ糖（グルコース）	ショ糖（スクロース）	でんぷん（アミロース・アミロペクチン）
果糖（フルクトース）	麦芽糖（マルトース）	デキストリン（糊精）
ガラクトース	乳糖（ラクトース）	グリコーゲン

■脂質：脂肪酸

飽和脂肪酸	不飽和脂肪酸
バター、牛脂など動物性脂肪に多い	植物性油や魚油に多い
パルミチン酸など	リノール酸、α-リノレン酸（必須脂肪酸）、EPA、DHAなど

■たんぱく質

必須アミノ酸
①バリン ②ロイシン ③イソロイシン ④スレオニン ⑤メチオニン ⑥フェニルアラニン ⑦トリプトファン ⑧リジン ⑨ヒスチジン

■ビタミン

脂溶性ビタミン		水溶性ビタミン	
ビタミンA	レバー、うなぎ、バター、緑黄色野菜	ビタミンB_1	豚肉、豆類、胚芽
ビタミンD	青背の魚類、きのこ類、卵黄	ビタミンB_2	レバー、うなぎ、牛乳、卵
ビタミンE	種実類、植物油	葉酸	緑黄色野菜、レバー
ビタミンK	納豆、海藻、緑黄色野菜	ビタミンC	野菜類、果物類、いも類

Point 5 妊産婦の食事摂取基準

栄養素	付加量
エネルギー（kcal/日）	妊娠初期 +50　中期 +250　後期 +450 授乳婦　+350
たんぱく質（g/日） 推奨量	妊娠初期 +0　中期 +5　後期 +25 授乳婦　+20
脂質 （%エネルギー）	非妊娠時と同じ
炭水化物 （%エネルギー）	非妊娠時と同じ
ビタミンA（μgRAE/日） 推奨量	妊娠初期 +0　中期 +0　後期 +80 授乳婦 +450
カルシウム（mg/日） 推奨量	非妊娠時と同じ
食塩相当量（g/日） 目標量	非妊娠時と同じ
鉄（mg/日） 推奨量	妊娠初期 +2.5　中期 +9.5　後期 +9.5 授乳婦　+2.5

Point 6 発育・発達に応じて育てたい「食べる力」

授乳期・離乳期	安心と安らぎの中で食べる意欲の基礎づくり
幼児期	食べる意欲を大切に、食の体験を広げよう
学童期	食の体験を深め、食の世界を広げよう
思春期	自分らしい食生活を実現し、健やかな食文化の担い手になろう

Point 7 母乳栄養の利点

消化吸収がよく、代謝負担が少ない	母乳は、消化機能の未熟な乳児でも消化吸収がよい。また、たんぱく質やミネラルなど、母乳の成分濃度は乳児に適切であるため、生理作用の未熟な乳児にとって代謝負担が少ない。
感染抑制物質を含み、感染症を予防する	母乳には、免疫グロブリンA（IgA）、リゾチーム、ラクトフェリン、マクロファージ、オリゴ糖など、多くの感染抑制物質が含まれ、乳児の感染予防に役立っている。
母子相互作用を高め、母子関係の確立を促す	母親が乳児をしっかり抱いて授乳することは、母子の間に満足感と安心感を与える。この母子相互作用は、乳児の精神発達に良い影響を与えるとともに、母親の育児への自信にもつながり、安定した母子関係の確立を容易にする。
アレルギーを起こしにくい	母乳は、乳児と同種のたんぱく質であるため、アレルギーを起こしにくい。
産後の母体の回復を早める	授乳により分泌されるオキシトシンは、子宮の収縮を促進し、分娩からの母体の回復を早める。
安全、衛生的、簡便、経済的である	母乳は、粉乳や調乳のための器具などから細菌や有害物質に汚染されるリスクが少ない。また、夜間や外出時の調乳の手間がなく、常に適温で授乳でき、経済的でもある。乳幼児突然死症候群（SIDS）のリスクも、人工乳に比較して低い。

Point 8 児童福祉施設の食事計画

たんぱく質エネルギー比率（%エネルギー）	13～20
脂肪エネルギー比率（%エネルギー）	20～30
炭水化物エネルギー比率（%エネルギー）	50～65

Point 9 離乳食の進め方の目安

	離乳の開始 5～6か月頃	7～8か月頃	9～11か月頃	離乳の完了 12～18か月頃
食べ方の目安	・子どもの様子をみながら1日1回1さじずつ始める。 ・母乳や育児用ミルクは飲みたいだけ与える。	・1日2回食で、食事のリズムをつけていく。 ・いろいろな味や舌ざわりを楽しめるように食品の種類を増やしていく。	・食事リズムを大切に、1日3回食に進めていく。 ・共食を通じて食の楽しい体験を積み重ねる。	・1日3回の食事リズムを大切に、生活リズムを整える。 ・手づかみ食べにより、自分で食べる楽しみを増やす。
調理形態	なめらかにすりつぶした状態	舌でつぶせる固さ	歯ぐきでつぶせる固さ	歯ぐきでかめる固さ
調理方法	①米がゆは乳児が口の中で押しつぶせるように十分煮る。初めは「つぶしがゆ」とし、慣れてきたら粗つぶし、つぶさないままへと進め、軟飯へと移行する。 ②野菜類やたんぱく質性食品などは、始めはなめらかに調理し、次第に粗くしていく。 （厚生労働省「授乳・離乳の支援ガイド」より）			

Point 10 学校給食の7つの目標（学校給食法）

①適切な栄養の摂取による健康の保持増進を図ること。
②望ましい食習慣を養うこと。
③明るい社交性・協同の精神を養うこと。
④生命・自然を尊重する精神や環境の保全に寄与する態度を養うこと。
⑤勤労を重んずる態度を養うこと。
⑥優れた伝統的な食文化についての理解を深めること。
⑦食料の生産・流通・消費について、正しい理解に導くこと。

Point 11 障害がある子どもの食生活

知的障害児	過食、拒食、偏食などが起こりやすい。 咀しゃく、嚥下に問題がある場合は、調理形態などを工夫する。 料理に興味を持てるように、調理を体験させる。
聴覚障害児・視覚障害児	目や耳で感じることができないため、食欲がわかないことが起こりやすく、エネルギー消費量が少ないため、栄養の偏りに注意する。
肢体不自由児	健常者よりも多くのエネルギーを使っている。たんぱく質は、吸収効率が低いことが多いため、食事摂取基準よりも10～20%多くする。 カルシウムを十分に摂取する。
重症心身障害児	食事時間が長くならないようにし、高たんぱく、高エネルギーの食事にして回数を増やす。 飲み込みやすい形状や調理法を工夫する。 自助具や食器を選ぶ。

Point 12 子どもの食事療法

低出生体重児：体重が2,500g未満を低出生体重児という。母乳がいちばん適しているが、その代替えとして低出生体重児用調製粉乳を用いることも可能である。

フェニルケトン尿症：先天的にフェニルアラニン水酸化酵素が欠損しているため、治療用のミルクを基本として与える。

メープルシロップ尿症：先天的にアミノ酸を代謝する酵素が欠損して起こるアミノ酸代謝異常症であるため、ロイシン、イソロイシン、バリンの除去ミルクを与える。

ホモシスチン尿症：先天的にシスタチオニンが欠損して起こるため、乳児期には高シスチンミルクを与え、離乳期には低たんぱく食とする。

食物アレルギー児：ある特定の食品を食べると嘔吐・下痢などの症状が出現し、ひどいとショック状態に陥る場合もある。食物アレルギーの治療法は、原因となるアレルゲン（鶏卵、乳製品、小麦、大豆、木の実など）の除去である。

Lesson 1

子どもの健康と食生活の意義

問1　5つの基本味には、甘味、塩味、苦味、酸味、辛味がある。

でる

問2　「令和元年国民健康・栄養調査」において、「1〜6歳」における脂肪エネルギーの比率は、男女ともに30％以下である。

問3　「食生活指針」（文部科学省、厚生労働省、農林水産省）では、「特に若年女性のやせ、高齢者の肥満にも気をつけましょう。」という記載がある。

問4　「食生活指針」には、「調理や保存を上手にして、食べ残しのない適量を心がけましょう。」との記載がある。

問5　朝食欠食は、脳のたんぱく質不足となり、集中力の低下を招く。

問6　「平成30・令和元年度児童生徒の健康状態サーベイランス事業報告書」では、男子の食事を残す理由で最も多いのは「食欲がない」である。

問7　「令和4年度食育白書」によると、朝食を欠食する小・中学生の割合は1％程度である。

1回目 /7点　2回目 /7点

答1 ×

5つの基本味に含まれるのは、辛味ではなく、旨味である。

答2 ○

「1～6歳」における脂肪エネルギーの比率は、男性29.2％、女性28.2％である。

答3 ×

高齢者の肥満ではなく、低栄養に気をつける。食生活指針とは、毎日の食事において実践すべきことを10の項目にまとめたものである。

答4 ○

2016（平成28）年に一部改定された。同じ項目に、「まだ食べられるのに廃棄されている食品ロスを減らしましょう。」などの記載がある。

答5 ×

脳は糖質をエネルギー源として利用するが、蓄えておくことができない。朝食欠食は、脳へのエネルギー供給が不足し、午前中は体や脳が十分働かなくなる。

答6 ×

食事を残す理由として最も多いのは、男子で「嫌いなものがある」31.1％であり、女子では「量が多い」37.7％であった（公財日本学校保健会より）。

答7 ×

小・中学生の朝食欠食率は、近年横ばい傾向であり、朝食を欠食する小学生の割合は5.6％、中学生の割合は8.1％である。

Lesson 2

日本人の食事摂取基準

問1 「日本人の食事摂取基準（2020年版）」は、健康な個人及び集団を対象として、10年ごとに見直しがなされている。

問2 「日本人の食事摂取基準2020年版」では、小児（1～17歳）の身体活動レベル（PAL）は2区分で示されている。

問3 成長期である小児の推定エネルギー必要量（kcal/日）には、組織の形成のためのエネルギーと、組織増加分（蓄積量）のエネルギーが必要である。

でる 問4 栄養素の指標の目的の一つである「生活習慣病の予防」のためには、栄養素を摂取する際に推奨量を参考にするとよい。

でる 問5 「日本人の食事摂取基準（2020年版）」では、「1～5歳」における食塩の目標量（g/日）は、男女ともに5.0以上である。

問6 「日本人の食事摂取基準（2020年版）」において、授乳婦に付加量の設定がある栄養素には、カルシウムがある。

問7 脂質の食事摂取基準（目安量）は、1歳以上のすべての年齢区分において、脂肪エネルギー比率（%エネルギー）20～25である。

1回目 /7 点　2回目 /7 点

答1 ×

5年ごとに見直されるため、次回は2025年版が予定されている。国民の健康の保持・増進や、生活習慣病予防のためにエネルギーや栄養素の摂取量の基準を示したものである。

答2 ×

1～5歳までは、「ふつう」のみの1区分、6歳以上は「低い」「ふつう」「高い」の3区分である。

答3 ○

算出式は、推定エネルギー必要量（kcal/日）＝基礎代謝量（kcal/日）×身体活動レベル＋エネルギー蓄積量（kcal/日）で求められる。

答4 ×

生活習慣病の発症予防のためには、各栄養素の目標量に達するように栄養を摂取する。

答5 ×

食塩の目標量（g/日）は、1～2歳で男女とも3.0未満、3～5歳で男女とも3.5未満となっている。

答6 ×

授乳婦に付加量の設定がある栄養素には、エネルギー、たんぱく質の他、ビタミンA、葉酸、ビタミンC、鉄などがあるがカルシウムはない。

答7 ×

脂質の食事摂取基準は、脂肪エネルギー比率（%エネルギー）の目標量で示され、1歳以上のすべての年齢区分において20～30である。

Lesson 3 栄養に関する基本的知識【糖質】

問1 炭水化物は、糖質と食物繊維に分類される。

問2 糖質は、胃から分泌されるペプシンにより、主に消化される。

でる 問3 グリセリンは、ブドウ糖を構成単位とする多糖類であり、ヒトの体内にも存在する。

でる 問4 ブドウ糖（グルコース）は、炭素、酸素、水素からなる。

でる 問5 乳糖は、ラクターゼによって、ブドウ糖（グルコース）とガラクトースに分解される。

問6 グリコーゲンは、肝臓や筋肉に含まれる単糖類である。

でる 問7 麦芽糖は牛乳や母乳に多く含まれ、マルターゼにより分解される。

1回目 /7点　2回目 /7点

答1 ○

消化吸収できるか否かで分けられ、消化、吸収されエネルギー源となるのが糖質である。

答2 ×

糖質は、唾液と膵臓から分泌される膵液に含まれる消化酵素アミラーゼにより、分解される。

答3 ×

グリセリンは、脂肪酸と結びついて、食品の油脂の大部分を占める中性脂肪の中に含まれている。

答4 ○

ブドウ糖のような炭水化物や、脂質は、炭素、酸素、水素で構成される。たんぱく質は炭素、酸素、水素のほか、窒素を含むのが特徴である。

答5 ○

乳糖は、小腸粘膜の消化酵素であるラクターゼによって、単糖類のブドウ糖（グルコース）とガラクトースに分解される。

答6 ×

グリコーゲンは、ブドウ糖が多数結合した多糖類である。動物の肝臓や筋肉などに、貯蔵されている。

答7 ×

牛乳や母乳に多いのは、麦芽糖ではなく乳糖である。

Lesson 4

栄養に関する基本的知識【脂質】

問1　脂質の摂取は、脂溶性ビタミンの吸収を助ける。

問2　トランス脂肪酸は、マーガリンやショートニングに多く含まれる。

問3　一般に、動物性脂肪には、不飽和脂肪酸が多く含まれている。

問4　脂質1gは、4kcalのエネルギーとして利用される。

でる

問5　ドコサヘキサエン酸（DHA）には、多価不飽和脂肪酸が多く含まれている。

問6　複合脂質は、グリセリンと脂肪酸のみからなる。

問7　中性脂肪の消化は、主に大腸において膵液中のアミラーゼによって行われる。

答1 ○ 脂溶性ビタミン（ビタミンA、D、E、K）は、脂質とともに吸収される。脂溶性ビタミンを含む食品は、脂質と一緒に摂取するとよい。

答2 ○ 不飽和脂肪酸は、炭素間の二重結合のまわりの構造の違いにより、シス型とトランス型の2種類に分けられる。天然の不飽和脂肪酸は、ほとんどがシス型である。

答3 × 動物性脂肪には、バター、牛脂などがあり、飽和脂肪酸が多く含まれている。

答4 × 脂質1gは、9kcalのエネルギーとして利用される。糖質、たんぱく質は1g当たり4kcalである。

答5 ○ いわし、さんま、あじなどの青魚に含まれる脂肪酸は、n-3系の多価不飽和脂肪酸である。

答6 × グリセリンと脂肪酸からなるのは単純脂質であり、複合脂質は単純脂質の一部にリン酸、糖質などを含む。胆汁酸などからなるのは、誘導脂質という。

答7 × 中性脂肪は小腸において、脂肪分解酵素リパーゼの作用によって、グリセリンと脂肪酸に分解される。

Lesson 5

栄養に関する基本的知識【たんぱく質】

問1 献立作成時の主菜には、肉、魚、卵、大豆及び大豆製品等のたんぱく質を多く含む料理が含まれる。

問2 体内で合成することができず、食物から摂取しなければならないアミノ酸を、必須アミノ酸という。

問3 たんぱく質は、胃で消化が完了し、小腸では消化されない。

問4 乳児の胃には、たんぱく質の胃内滞留時間を延長する機能があり、消化性は高い。

問5 魚・肉・卵は三色食品群では黄のグループであり、これらは主に体を動かすエネルギーのもとになる。

問6 たんぱく質は、糖質や脂質の摂取量が不足した際に、エネルギー源として利用される。

でる

問7 米は、主にエネルギー源であるが、たんぱく質もある程度含んでいるので、適量摂取する。

答1 ○

ご飯と汁物に主菜と副菜をそろえた献立が、一般的に内容的にも栄養的にも良いとされる。副菜には、野菜やきのこ、海藻等を使用する料理が含まれる。

答2 ○

必須アミノ酸は、バリン、ロイシン、イソロイシン、スレオニン、メチオニン、フェニルアラニン、トリプトファン、リジン、ヒスチジンの9種類である。

答3 ×

たんぱく質は、胃液、膵液、そして小腸上皮細胞での腸液の作用や膜消化によって、アミノ酸にまで分解され、吸収される。

答4 ○

乳児の胃では、凝乳酵素レンニンの働きにより乳の中のカゼインが凝固され、カードが生成される。

答5 ×

魚・肉・卵のたんぱく源は、赤のグループで、主に体をつくるもとになる働きを持つ。

答6 ○

脂質も同様に、エネルギー源不足時にはエネルギー源となる。

答7 ○

米には、成分の6～7%のたんぱく質が含まれている。日本人にとって、米はたんぱく質の供給源ともなっているので、適量摂取する。

Lesson 6

栄養に関する基本的知識【ビタミン】

問1 胎児の神経管閉鎖障害のリスクを低減できるビタミンは、ビタミンAである。

でる 問2 ビタミンB_{12}は、皮膚や細胞のコラーゲンの合成に必須である。

問3 ビタミンB_1は、たんぱく質代謝に主に関与し、欠乏症は夜盲症である。

問4 6つの基礎食品群において、緑黄色野菜に多く含まれる主な栄養素は、ビタミンEである。

問5 母乳栄養などで乳児にビタミンK欠乏がみられると、新生児頭蓋内出血などを引き起こす場合がある。

問6 ビタミンCは、コラーゲンの生成に関与し、欠乏すると壊血病を起こす。

問7 パントテン酸は脂溶性ビタミンで、欠乏すると巨赤芽球性貧血になる。

1回目 /7点　2回目 /7点

答1 ×

神経管閉鎖障害のリスク低減に効果があるのは、葉酸である。

答2 ×

皮膚やコラーゲンの合成に必須であるのは、ビタミンCである。ビタミンB_{12}には、血液をつくる働きや神経の機能維持を助ける働きがある。

答3 ×

ビタミンB_1は、糖質代謝に必要で、欠乏すると脚気《かっけ》になる。

答4 ×

緑黄色野菜に多く含まれるのは、カロテンである。

答5 ○

ビタミンKは、血液凝固因子の産生に関わる。母乳栄養児にはビタミンKシロップを経口投与する等して、発症を予防している。

答6 ○

ビタミンCには、その他に体内の酸化還元反応への働きがあり、積極的に野菜や果実等の食品から摂取する必要がある。

答7 ×

パントテン酸は、水溶性ビタミンの一つで、日常生活で欠乏にはなりにくい。巨赤芽球性貧血になるのは同じく水溶性ビタミンの葉酸の欠乏による場合である。

Lesson 7 栄養に関する基本的知識【ミネラルなど】

問1 鉄は、体内の浸透圧の保持に関与している。

問2 日本人の食生活では、ヨウ素は過剰摂取しやすい傾向にある。

問3 たんぱく質代謝に関与するミネラルは、カルシウムである。

問4 亜鉛が不足すると、味覚障害を引き起こす。

でる 問5 リンは、カルシウムと結合して、骨や歯をつくる成分である。

問6 1日に摂取する必要がある水分量は、乳児期では、体重1kg当たり90～125mlである。

問7 無機質（ミネラル）は、体内で合成されない。

1回目 /7点　2回目 /7点

答1 ×

鉄の主な働きには、ヘモグロビンのもととなる働きがあり、鉄分の摂取は貧血を防ぐ。

答2 ○

ヨウ素は、海藻や海産物に多く、日本人の食生活では過剰摂取に気を付ける必要がある。

答3 ×

たんぱく質代謝に関与するものは、亜鉛である。カルシウムは、骨や歯の構成成分である。

答4 ○

不足すると、その他に成長障害や皮膚炎を引き起こすこともある。亜鉛が多く含まれる食品には、魚介類、肉類、牛乳等がある。

答5 ○

結合後はリン酸カルシウムとなり、骨や歯をつくるが、リンは、過剰摂取すると腸管におけるカルシウムの吸収を抑制する働きがある。

答6 ×

乳児期では、1日に体重1kg当たり125～150mlの水分摂取が必要であり、年齢が低いほど多い。

答7 ○

無機質（ミネラル）は、体内ではつくることができないため、食事からとる必要がある。

Lesson 8

乳児期の授乳・離乳の意義と食生活（1）

でる

問1 母乳に含まれる感染抑制物質は、感染症の発症予防と重症化の低下に役立つ。

問2 母乳の分泌は、吸啜反射により起こる。

問3 出産後、エストロゲンの分泌が促進し、乳汁の分泌が始まる。

問4 乳児用液体ミルクは、液状の人工乳を容器に密封したものであり、常温での保存が可能なものである。

でる

問5 「母乳育児成功のための10のステップ（2018年改訂）」では、赤ちゃんが母乳を欲しがっていても時間を決めて与えることとしている。

問6 母乳中の糖質は、ブドウ糖（グルコース）が多い。

問7 WHO/FAO共同作成のガイドラインでは、「乳児用調製粉乳の調乳で使用する湯は70℃以上を保つこと」としている。

答1 ○

免疫グロブリンA（IgA）、ラクトフェリンなどの感染抑制物質は、特に母乳の初乳に多く含まれ、新生児の感染予防に大きな役割を果たしている。

答2 ○

乳児の口に乳房を近づけると、反射的に乳首を吸う行動のことを吸啜という。

答3 ×

乳汁の分泌は、プロラクチンにより分泌が刺激され、オキシトシンにより乳汁が乳管に送り出されて起こる。

答4 ○

栄養組成は粉ミルクと同じであるが、乳児用液体ミルクは調乳の必要がなく、そのまま授乳できる。開封後すぐに使用し、飲み残しは与えないようにする。

答5 ×

欲しがるサインを認識しそれに応えるようにとの記載がみられる。その他、出産後できるだけ早く母乳を与える、母子同室にするようにとある。

答6 ×

母乳中に多い糖質は、乳糖（ラクトース）である。

答7 ○

髄膜炎や腸炎に関係しているサカザキ菌の感染リスク低減のため一度沸騰させた70℃以上の湯を使用し、2時間以内に使用しなかった乳は廃棄する。

Lesson 9

乳児期の授乳・離乳の意義と食生活（2）

でる

問1

「授乳・離乳の支援ガイド」（2019年改定版：厚生労働省）では、牛乳を与えることに加えて、離乳食の調理で乳製品を使用することも、1歳以降が望ましいとしている。

問2

離乳の開始の時期は、生後4か月になった頃が適当であり、1日1回1さじずつ果汁から始める。

でる

問3

生後9か月以降は、鉄が不足しやすいので、赤身の魚や肉、レバーを取り入れ、調理用に育児用ミルクを使用する等工夫する。

問4

舌と上あごでつぶせないものを歯茎の上でつぶすことを覚える月齢は、9～11か月頃である。

でる

問5

ベビーフードを利用するときには、子どもの月齢に応じて固さの合ったものを選び、与える前には一口食べて確認する。

問6

離乳完了期の離乳食1回あたりのご飯の目安量は80gである。

問7

はちみつは、離乳の開始時に積極的に使用する。

1回目 /7点　2回目 /7点

答1 ×

牛乳を与えるのは1歳以降が望ましいが、乳製品の中でヨーグルト、脂肪や塩分の少ないチーズは、離乳食として早い時期から与えてもよい。

答2 ×

「授乳・離乳の支援ガイド」では、離乳の開始時期は「生後5〜6か月頃が適当である」と示されている。果汁ではなく、つぶしがゆから始める。

答3 ○

この時期、牛乳は調理に使用できるが、育児用ミルクの方が鉄の吸収がよく、離乳食と組み合わせて使用するとよい。

答4 ○

12〜18か月頃には、口へ詰め込みすぎたり、食べこぼしたりしながら、一口量を覚えるようになる。

答5 ○

離乳食の4区分を目安にベビーフードを選び、与える前に大人が一口食べてみて、味、固さ、温度を確認し、子どもの食べ方を確認する。

答6 ○

野菜・果物の目安量は40〜50gである。

答7 ×

はちみつは、乳児ボツリヌス症予防のため、満1歳までは使わない。

Lesson 10

幼児期の心身の発達と食生活

でる **問1** 「授乳・離乳の支援ガイド」では、子ども（1歳）の1日の食事量の目安について、主食は成人の1／2弱程度としている。

問2 一般的に乳歯が生えそろうのは、5〜6歳である。

問3 体重1kgあたりのエネルギー必要量は、成人より幼児の方が多い。

でる **問4** 「平成27年度乳幼児栄養調査結果の概要」の「現在子どもの食事について困っていること」は、2〜3歳未満では「むら食い」が最も多い。

問5 「平成27年度乳幼児栄養調査結果の概要」で、むし歯の有無別に間食の与え方をみると、時間を決めてあげることが多い者の割合は、むし歯のない子どもの方が多い。

問6 一般的には幼児の食具の持ち方は、下手持ち（下から握るように持つ）から上手持ち（上から握るように持つ）に変化する。

でる **問7** 幼児期の間食の適量は、1日に摂取するエネルギーの20〜30％が目安である。

答1 ○

子ども（1歳）の1日の食事量の目安は、主食、主菜、副菜はそれぞれ成人の1／2弱程度、果物は1／2程度と考えられている。

答2 ×

乳歯が生えそろうのは、2～3歳である。

答3 ○

幼児は体が小さいが、日々成長して体を作る時期であるため、体重1kgあたりのエネルギー必要量は、成人より多い。

答4 ×

「現在子どもの食事について困っていること」で、2～3歳未満に最も多い回答は、「遊び食べをする」である。

答5 ○

他に、「甘いものは少なくしている」「間食でも栄養に注意している」と答えた者の割合も同様に、むし歯のない子どもの方が多い傾向であった。

答6 ×

上手持ちから下手持ちに変化させ、大人の持ち方に近づけていく。

答7 ×

間食は、発育・発達状況や生活状況に応じて、1日全体のおおむね10～20%程度の量を目安にする。

Lesson 11 学童期の心身の発達と食生活

でる
問1 小学校6年生と中学校3年生を対象に実施した「令和5年度全国学力・学習状況調査」（文部科学省）で、毎日朝食を食べる子どもほど学力調査の平均正答率が高かった。

問2 「食に関する指導の手引」では、給食指導とは、給食の準備、会食、片付けなどの一連の指導を、実際の活動を通して、毎日繰り返し行う教育活動、と述べられている。

でる
問3 「学校給食実施基準の一部改正について」（令和3年）では、地域の食文化等を学ぶ中で世界の多様な食文化等の理解を深められるように、配慮するよう求められている。

問4 小児期（6〜15歳）においても、メタボリックシンドロームの診断基準が定められており、その診断基準には腹囲が含まれる。

問5 学童期後半及び思春期では、肥満傾向児は男子よりも女子の方が多い。

でる
問6 「令和4年度学校保健統計調査」（文部科学省）によると、女子の痩身傾向児の出現率は、12歳では、約6％となっている。

問7 「日本人の食事摂取基準（2020年版）」における学童期の年齢区分は、6〜7歳、8〜9歳、10〜11歳の3区分である。

答1 ○

小学校6年生の国語の点数は、朝食を毎日食べている子どもが68.8点、全く食べていない子どもが54.6点、算数や理科も同様の傾向であった。中学生も小学生と同じ傾向である。

答2 ○

給食の時間に行われる指導は、「給食指導」と「食に関する指導」に分けられ、給食指導における主な指導項目とその内容等についても詳しく記載されている。

答3 ○

他に、「児童生徒が学校給食を通して、日常又は将来の食事作りにつなげることができるよう、献立名や食品名が明確な献立作成に努めること。」等もある。

答4 ○

小児期のメタボリックシンドロームの診断基準は、腹囲が80cm以上でかつ、血圧、血清脂質、空腹時血糖のうち、2項目以上を満たすと診断される。

答5 ×

肥満度が20％以上の者を肥満傾向児といい、17歳の男子で約11％、女子で約7％であり、男子の方が多い。学童期の肥満は成人期の肥満に移行しやすく、注意が必要である。

答6 ×

12歳の女子の痩身傾向児の割合は、3.85％である。痩身傾向児の割合はこの10年間で横ばい、または増加傾向である。

答7 ○

学童期の年齢区分は、6～7歳、8～9歳、10～11歳の3区分になっており、学校給食実施基準の基準値も、この3区分で示されている。

Lesson 12

生涯発達と食生活

問1 「食事バランスガイド」では、「主食」「副菜」「主菜」「牛乳・乳製品」「菓子」の5区分で記載されている。

でる 問2 おせち料理の黒豆と海老には、一般的に「子孫繁栄」と「豊作」の意味が込められている。

問3 「令和5年人口動態統計月報年計の概況」によると、日本人の死因で多いものは、悪性新生物、大動脈瘤及び解離、心疾患である。

問4 「妊娠前からはじめる妊産婦のための食生活指針」（令和3年）には、“乳製品、緑黄色野菜、豆類、小魚などでカルシウムを十分に”と記載されている。

問5 栄養機能食品は、特定の栄養成分の補給のために利用される食品であり、栄養成分の機能を表示するものである。

でる 問6 献立作成時に、汁物の食塩濃度は、4～6％にするとよい。

問7 三色食品群の食品の分類で、赤のグループは「体の調子を整える」働きがあり、トマトなどの野菜がある。

1回目 /7点　2回目 /7点

答1 ×

「主食」「副菜」「主菜」「牛乳・乳製品」「果物」であり、菓子や嗜好飲料は含まれない。

答2 ×

黒豆には「まめまめしく働く」、海老には「長寿」の意味がある。「子孫繁栄」は食材の数の子、「豊作」は田作りである。

答3 ×

第1位は悪性新生物（死亡総数に占める割合24.3%）、第2位は心疾患（14.7%）、第3位は老衰（12.1%）である。大動脈瘤及び解離の割合は、1.3%である。

答4 ○

他に、“「主菜」を組み合わせてたんぱく質を十分に”、“不足しがちなビタミン・ミネラルを、「副菜」でたっぷりと”、“無理なくからだを動かしましょう” などの記載がある。

答5 ○

栄養成分の機能の表示を行うには、1日当たりの摂取目安量に含まれる栄養成分の量が、国が定めた下限値・上限値の基準に適合している必要がある。

答6 ×

塩分濃度4～6%では高すぎる。これは漬物やつくだ煮の塩分濃度である。汁物の塩分濃度は一般に0.7～1%程度である。

答7 ×

「体の調子を整える」働きがあるのは、緑のグループである。

Lesson 13

食育の基本と内容

でる 問1

「第4次食育推進基本計画」の重点事項の一つに、“生涯を通じた心身の健康を支える食育の推進” がある。

でる 問2

食育基本法には、「食育を、生きる上での基本であって、知育、徳育、及び体育と同等であると位置付ける」と示されている。

でる 問3

「保育所保育指針」の第3章「健康及び安全」の2「食育の推進」(1) 保育所の特性を生かした食育には、保育所における食育は、健康な生活の基本としての「食を営む力」の育成に向け、その基礎を培うことを目標とすることと記載がなされている。

でる 問4

「楽しく食べる子どもに ～食からはじまる健やかガイド～」(平成16年：厚生労働省) に示された「発育・発達過程において配慮すべき側面」の一つに、「生活の質」がある。

問5

「第4次食育推進基本計画」の食育推進の目標には、食品ロス削減に関する記載はない。

問6

食育推進基本計画は、「食育基本法」に基づき、食育の推進に関する基本的な方針や目標について定めている。

答1 ○
これと連携する形で、“持続可能な食を支える食育の推進”、横断的な重点事項として“「新たな日常」やデジタル化に対応した食育の推進”があり、食育をめぐる状況を踏まえて総合的に推進する。

答2 ×
食育基本法における食育の位置付けは、「知育、徳育及び体育の基礎となるべきもの」とされている。

答3 ○
2「食育の推進」には、子どもと調理員との関わりや、調理室など食に関わる保育環境に配慮するという記載がなされている。

答4 ×
発育・発達過程において配慮すべき側面には、「心と身体の健康」「人との関わり」「食のスキル」「食の文化と環境」がある。

答5 ×
16項目の目標の一つに、“食品ロス削減のために何らかの行動をしている国民を増やす”がある。

答6 ○
都道府県または市町村は、食育推進基本計画を基本として、当該区域内における食育の推進に関する施策についての計画を作成するよう努めなければならない。

Lesson 14

児童福祉施設における食事と栄養

問1 乳汁の与え方は、集団においては、一律の対応でよい。

でる **問2** 給食施設では、食中毒が発生した場合の原因究明のため、給食の原材料及び調理済み食品を、1週間以上保存することになっている。

でる **問3** 保育所では、乳幼児期から様々な食べものの多くの味を経験する食事を提供し幅広い味覚を作り上げ、偏らない嗜好の形成を支援する。

問4 児童福祉施設の食事計画において、エネルギー摂取量の計画に当たっては、定期的に身長及び体重を計測し、観察・評価を行う。

問5 サルモネラ属菌食中毒の原因食品には、カレー等の大量調理食品がある。

問6 「家庭でできる食中毒予防の6つのポイント」（厚生労働省）には、冷蔵庫内は15℃以下に維持することが目安であるとの記載がある。

でる **問7** 「児童福祉施設における食事の提供ガイド」では、調理済みの食品は「加熱調理後はすみやかに（2時間以内）喫食する」としている。

答1 ×

乳汁の与え方は、集団においても個別対応が大切である。

答2 ×

万一に備えて、給食の原材料及び調理済みの食品は、食品ごとに50g程度ずつ清潔な容器に入れ、－20℃以下で2週間以上保存する。

答3 ○

児童福祉施設における食事の役割は、食事の提供と、発達段階に応じて豊かな食の体験を積み重ねていく食育に、一体的に取り組むことである。

答4 ○

エネルギー摂取量の計画に当たっては、成長曲線に照らし合わせるなどの観察・評価を行う。

答5 ×

サルモネラ属菌食中毒の原因食品は、鶏卵、洋生菓子等であり、カレー等の大量調理食品でよく起こるのはウェルシュ菌による食中毒である。

答6 ×

食中毒の予防や食品の腐敗を防ぐために、冷蔵庫内は10℃以下、冷凍庫内は－15℃以下に維持すべきである。

答7 ○

このガイドでは、「調理済み食品を室温に放置しないようにし、加熱調理後はすみやかに（2時間以内）喫食することを徹底する。残食については処分する」としている。

Lesson 15

特別な配慮を要する子どもの食と栄養

でる

問1 フェニルケトン尿症、ガラクトース血症などの先天性代謝異常症の場合、治療用として特殊ミルクを与える。

問2 特異的IgE抗体検査の結果のみで、食物アレルギーの診断を行うことが可能である。

問3 口内炎・手足口病など口腔内に痛みがあるときには、舌触りのよいなめらかなものを与える。

でる

問4 下痢の際は、脂肪の多い食品や料理は控えるようにする。

問5 「食物アレルギー診療ガイドライン」では、鶏卵アレルギーがある場合でも、一般的に鶏肉は、除去不要とされている。

問6 乳幼児の食物アレルギーで最も多いのは、エビ・カニ等の甲殻類である。

問7 牛乳アレルギーの場合には牛乳だけでなく、牛肉も基本的に除去する。

1回目　　/7点　　2回目　　/7点

答1 ○
フェニルケトン尿症の場合はフェニルアラニンを制限した、ガラクトース血症の場合はガラクトース、ラクトースを制限した特殊ミルクを与える。

答2 ×
特異的IgE抗体検査や皮膚テストは、食物アレルギー検査に一般的に用いられるが、食物経口負荷試験で症状の有無を確認する必要がある。

答3 ○
つるんとしていて、口腔内を刺激しないものを与える。固いものや塩味のもの、酸味があるものは避ける。

答4 ○
下痢のときは、水分を補給し、食事は消化のよいものを与え、消化の悪い脂肪の多い食品や料理は、与えないようにする。

答5 ○
鶏卵アレルギーがある場合でも、魚卵や卵殻カルシウムも除去の必要はない。「念のため」「心配だから」という理由だけで、除去をしてはならない。

答6 ×
食物アレルギーの原因食品は、0歳児と1〜2歳児では鶏卵、3〜6歳児では木の実類がそれぞれ最も多い。

答7 ×
アレルギーの原因物質（アレルゲン）だけを除去することが基本である。牛肉を除去する必要はない。

Lesson 16

障害のある子どもへの対応

でる 問1
嚥下困難な子どもの食事を作る際には、ゼリー状、ポタージュ状の食品形態に調理すると、飲み込みやすい。

でる 問2
摂食・嚥下困難な子どもの食事の姿勢は、首の筋肉がリラックスするように、頭を少し前かがみにするとよい。

でる 問3
大豆は乳幼児でのアレルギーが多いことから、食品表示法においてアレルギー表示が義務づけられている。

問4
障害がある子どもの食事の介助では、介助者は子どもと同じ目線で介助する。

問5
嚥下が困難な子どもにとって、誤嚥しやすい飲食物である水は、嚥下しやすくなるよう片栗粉を加えてとろみをつけるとよい。

でる 問6
スプーンの幅は、口の幅よりも大きなものを選ぶとよい。

問7
嚥下が困難な子どもの食事では、柑橘類は食べやすい食品である。

答1 ◯
プリン状のものや乳化状のものも飲み込みやすく、反対にスポンジ状のもの、繊維状のものは飲み込みにくい。

答2 ◯
摂食・嚥下障害のある子どもは、頭を後方に反らすと咀しゃくや嚥下がしにくくなるので、首の筋肉がリラックスするように、頭を少し前かがみにするとよい。

答3 ×
食品表示法においてアレルギー表示が義務づけられているのは、卵、乳、小麦、落花生、えび、そば、かに、くるみの8つである。くるみは、2023（令和5）年3月より追加された。

答4 ◯
高い位置から介助すると、咀しゃくや嚥下に必要な筋肉が緊張して、嚥下しにくくなる。

答5 ◯
食物を嚥下しやすくするために、片栗粉の他にコーンスターチやゼラチンも使用できる。加熱することなくとろみがつけられるとろみ調整食品（増粘剤）も市販されている。

答6 ×
スプーンは、口の幅よりも狭く、浅いものを選ぶとよい。一口の量は少なめにして、口唇で取り込みやすいようスプーンの先の方にのせ介助する。

答7 ×
柑橘類は酸味が強く、嚥下が困難な子どもにとっては食べにくい食品である。

覚えたかな？ ここでCheck!

まずはそのまま、次は赤シートで隠して、色字のキーワードを確認しよう。

- □ **1** 「日本人の食事摂取基準」では、生活習慣病の発症予防のためには、各栄養素の目標量を上回るように栄養を摂取する。
- □ **2** ブドウ糖（グルコース）は、糖質の構成成分として重要な単糖類である。
- □ **3** 不飽和脂肪酸には、シス型とトランス型があり、マーガリン、ショートニングには、トランス脂肪酸が含まれる。
- □ **4** ビタミンA、D、E、Kは、脂溶性ビタミンである。
- □ **5** 母乳には、免疫グロブリンA（IgA）、ラクトフェリンなどの感染抑制物質が含まれており、感染症の発症予防などに役立っている。
- □ **6** 「授乳・離乳の支援ガイド」に示されている離乳の開始時期は、生後5～6か月頃である。
- □ **7** 三色食品群では、赤のグループには、魚・肉・卵などの体をつくるもとになる働きのある食品が含まれる。

9章

保育実習理論

音楽については音楽知識の基礎となる「音程・音階（調）・和音」をしっかり理解しましょう。造形については基本的な知識をしっかり学習しておきましょう。また「保育所保育指針」では保育の内容や方法など、実践的な事柄をしっかりと覚えることが大切です。

保育実習理論の重要ポイント

Point 1 音名

音の高さにつけられた固有の名称を音名という。

イタリア音名	ド	レ	ミ	ファ	ソ	ラ	シ
日本音名	ハ	ニ	ホ	ヘ	ト	イ	ロ
英音名	C	D	E	F	G	A	B

半音上げる記号を♯（シャープ）または嬰《えい》記号という。
半音下げる記号を♭（フラット）または変記号という。

嬰音	嬰ハ	嬰ニ	嬰ホ	嬰ヘ	嬰ト	嬰イ	嬰ロ
	C♯	D♯	E♯	F♯	G♯	A♯	B♯
変音	変ハ	変ニ	変ホ	変ヘ	変ト	変イ	変ロ
	C♭	D♭	E♭	F♭	G♭	A♭	B♭

♯や♭によって変化した音をもとの音に戻す記号を♮（ナチュラル）または本位記号という。

Point 2 音程

2つの音の隔たりを音程という。音程は最初の音も数に入れて1度、2度……と数える。

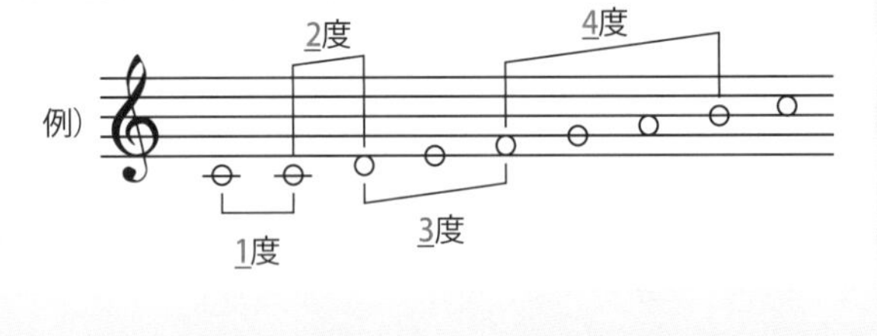

音程には、完全音程、長音程、短音程、増音程と減音程がある。

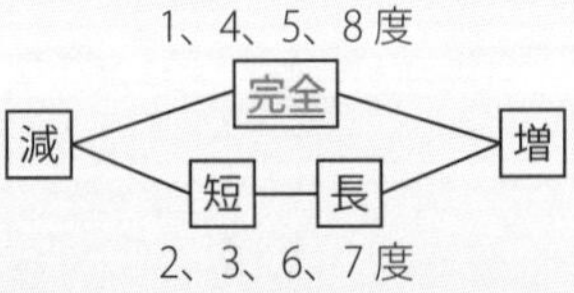

全音と半音の組み合わせ（鍵盤の数）により音程を見分けることができる。

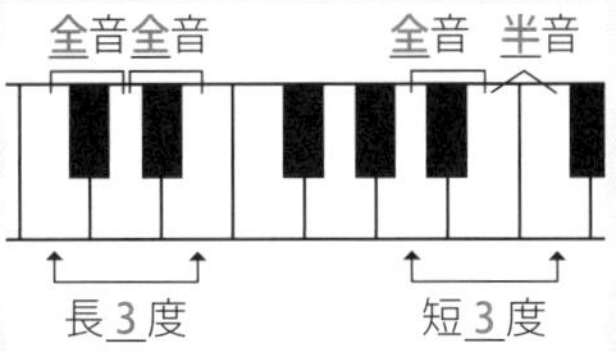

長3度…半音の数が0（鍵盤5つ分）
短3度…半音の数が1（鍵盤4つ分）

Point 3 音階と調

◉音階

1オクターブの中に規則的に音を並べたものを音階という。隣の音どうしの関係を、全・全・半・全・全・全・半（音）という順番で並べた音階を長音階という。

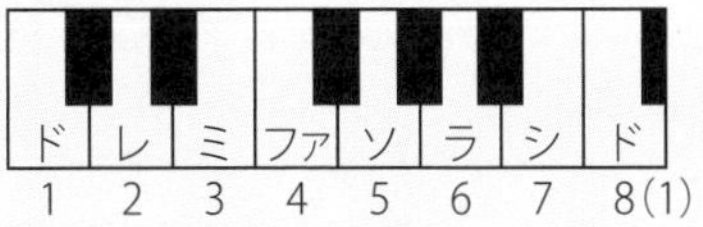

長音階は第3音と第4音、第7音と第8音の間が半音で、あとは全音である。

◉調

長音階を用いてつくられた音楽を「長調」の音楽という。音階の第1音は主音といい、調の名前となる。調の名前には日本音名が用いられ、ドが主音の長音階でつくられた音楽は「ハ長調」、レが主音の長音階でつくられた音楽は「ニ長調」と呼ばれる。調には♭が付く調と、♯が付く調がある。何も付かなければ「ハ長調」である。

◉階名

音階上の位置を示すイタリア音名を階名といい、各音には以下の機能がある。
「階名ド」は音階の第1音：主音と呼ばれる
「階名ファ」は音階の第4音：主音から完全4度上は下属音
「階名ソ」は音階の第5音：主音から完全5度上は属音
「階名シ」は音階の第7音：主音の短2度下は導音

Point 4 移調

ほかの調に移行することを移調という。

例）ハ長調（主音はド）の曲を、長2度高く移調する。

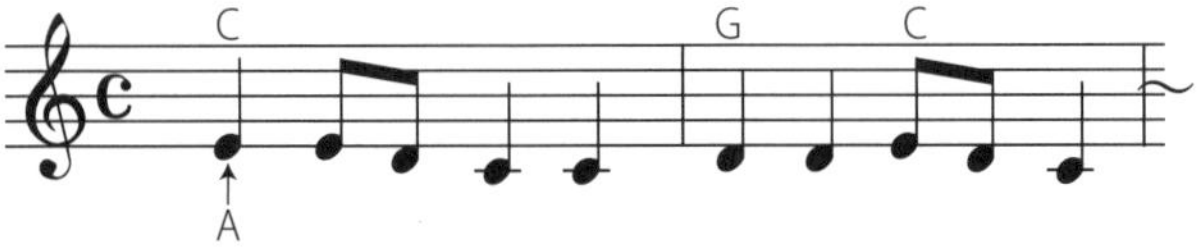

Aの音はBの鍵盤となる。

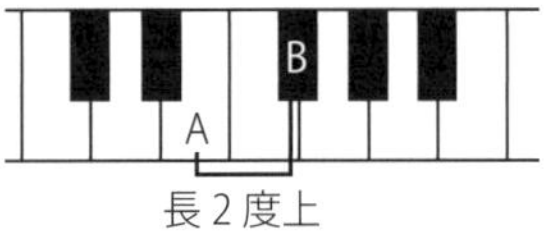

移調後の調はニ長調となる。

調号は  である。主音はレとなる。

コードネームは　C→D
　　　　　　　　G→A　となる。

※鍵盤位置とコードネームの出題がある。

Point 5 伴奏和音

◉ハ長調の伴奏和音の進行パターン

伴奏に使われるドミソ・シレソ・ドファラの3つの和音をハ長調の主要三和音という。また、伴奏和音には、音階の第5音（属音）を根音として短7度上の音を加えた属七の和音（ドミナントセブンス）がある。ハ長調では、シファソとなる。

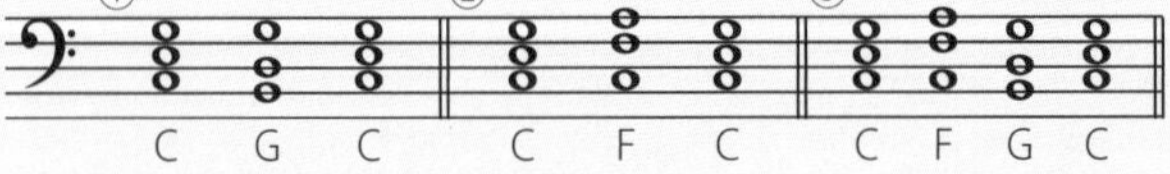

※シレソからドファラへの進行はない。

◉ト長調とヘ長調の伴奏和音の進行パターン

ト長調　G D G ‖ G C G ‖ G C D G ‖
ヘ長調　F C F ‖ F B♭ F ‖ F B♭ C F ‖

Point 6 コード（和音）の種類

コードにはいくつかの種類があり、基本的なものとして、メジャーコード、マイナーコード、ディミニッシュコード、セブンスコードがある。

セブンスコード：基本のセブンスコードは4音で構成されるが、第5音が省略されることが多い。

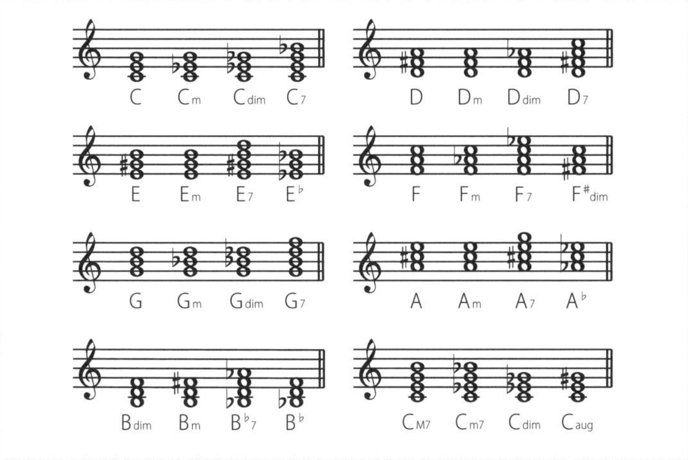

Point 7 リズム譜

曲のうち、音の長さの部分だけの譜面をリズム譜という。

大きなたいこ

ぞうさん

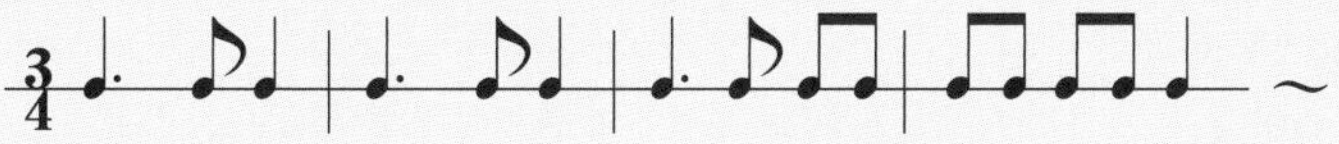

Point 8 音楽用語

曲全体の速さを表す用語

用　語	読み方	意　味
grave	グラーベ	荘重に、ゆっくりと
lento	レント	ゆるやかに
largo	ラルゴ	幅広く、ゆっくりと
adagio	アダージョ	静かにゆるやかに
andante	アンダンテ	ゆっくりと歩く速さで
larghetto	ラルゲット	ラルゴよりやや速く
moderato	モデラート	中くらいの速さで
allegretto	アレグレット	やや速く
allegro	アレグロ	快速に
vivace	ビバーチェ	活発に
presto	プレスト	急速に

速さの変化（部分的な速さ）を表す用語

用　語	読み方	意　味
meno mosso	メノモッソ	今までより遅く
rallentando(rall.)	ラレンタンド	だんだんゆるやかに
ritardando(rit.)	リタルダンド	だんだん遅く
accelerando(accel.)	アッチェレランド	だんだん速く
più mosso	ピウモッソ	今までより速く
ad libitum(ad lib.)	アドリビトゥム	速度を自由に
tempo rubato	テンポルバート	自由な速さで
a tempo	アテンポ	元の速さで
tempo primo	テンポプリモ	最初の速さで
allargando	アラルガンド	強くしながらだんだん遅く
smorzando	スモルツァンド	弱くしながらだんだん遅く

強弱を表す記号

記　号	読み方	意　味
ff	フォルティッシモ	とても強く
f	フォルテ	強く
mf	メッゾフォルテ	少し強く
mp	メッゾピアノ	少し弱く
p	ピアノ	弱く
pp	ピアニッシモ	とても弱く
fz	フォルツァンド	特に強く
sfz(sf)	スフォルツァンド	特に強く
cresc. <	クレッシェンド	だんだん強く
decresc. >	デクレッシェンド	だんだん弱く
dim. >	ディミヌエンド	だんだん弱く

発想・曲想を表す用語

用　語	読み方	意　味
agitato	アジタート	激しく
alla marcia	アッラマルチャ	行進曲ふうに
amabile	アマービレ	愛らしく
appassionato	アパッショナート	熱情的に
brillante	ブリランテ	はなやかに
cantabile	カンタービレ	歌うように
comodo	コモド	気楽に
dolce	ドルチェ	やさしく
espressivo	エスプレッシーボ	表情豊かに
leggero(leggiero)	レジェーロ	軽く
maestoso	マエストーソ	荘厳に
scherzando	スケルツァンド	おどけて
tenuto	テヌート	音の長さを十分に保って
tranquillo	トランクィッロ	静かに

Point 9 えがく（描画）表現の発達過程

時期名	年　齢	特　徴
なぐりがき期 【別名】 ・錯画期 ・スクリブル期	1〜2歳半頃	打ちつけるように点を描いたり、手が赴くままに線を描いたりする時期。初期は、意図して描くというよりも身体的行為の結果として描画活動が行われる
象徴期 【別名】 ・命名期 ・意味づけ期	2〜3歳半頃	描いた形に名前や意味をつける時期。ただし、描いたものに後づけで命名や意味づけすることがほとんどである
前図式期 【別名】 ・カタログ期	3〜5歳頃	自分の知っているもの、描きたいものを次々に並べて描く時期。円と線で人を表現する頭足人を描く時期でもある
図式期	4〜9歳頃	花や太陽などを擬人化して描くアニミズム表現、画面に位置関係を表現する基底線、記号的・図式的表現が描かれるようになる

Point 10 描画表現の特徴

表現名	特　徴
感情的遠近法 （誇張表現）	身近なものや興味のあるものをより大きく、詳しく描く
俯瞰《ふかん》図的表現	上から見たように描く
レントゲン表現	本来見えない部分を透視したように描く
異時同存表現	違う時間に起こった出来事を同時の出来事のように同じ絵に表現する
多視点表現	異なる視点から見たものを同時に表現する
並列表現	様々なものを基底線の上に並べて表現する
積上表現	遠くのものを上に積み重ねて表現する
展開表現	立体物を上下左右に展開して表現する
代償行為	感情をぶつけるように表現して発散、解消する
アニミズム表現	人のような表情やポーズをつけて描く

Point 11 つくる（立体）表現の発達過程

時期名	年　齢	特　徴
もてあそび期	1歳半～ 2歳半頃	子どもが身体全体で素材や材料に触れて楽しむ時期
意味づけ期 （象徴期）	2～3歳半頃	ものを何かに見立てたり、ごっこ遊びなどをしたりして楽しむ。つくってから意味づけをする時期
つくりあそび期	3～9歳頃	遊ぶ目的を達成するために道具をつくるようにもなる

Point 12 描画材料

種　類	特　徴
クレヨン	顔料を主とした固形の描画材料。ロウが多く含まれ、硬めで初期の描画活動に適している。線描的表現がしやすい。撥水性がある
オイルパステル	顔料を主とした固形の描画材料。クレヨンに似ているが、クレヨンよりも液体油などの割合が高いため、描き味がやわらかい。重色・混色・ぼかしなどが表現しやすい
パステル	顔料を結合剤で固めただけの描画材で、発色はよいが紙に定着しづらい。ぼかし絵に向いている
ポスターカラー	不透明水彩の一つ。広い範囲をむらなく塗ることができ、重色もできる。均一に色分けしたい場合に有効。乾燥後も水溶性
アクリル絵の具	不透明水彩の一つ。乾燥後は耐水性となるので、雨にぬれても絵の具が落ちない。接着力が強く、木やプラスチックなどにも塗ることができる
その他	鉛筆、色鉛筆、フェルトペン、コンテ、割り箸ペン、染料、墨など

Point 13 描画の技法

技法名	特　徴
デカルコマニー（あわせ絵）	二つ折りした画用紙の片面に絵の具を付け、重ね合わせて開くと左右対称の模様ができる
ストリングデザイン（糸あそび）	絵の具を付けた糸や紐を二つ折りの紙に挟み引っ張ることで曲線模様をつくる
ドリッピング（たらし絵）	溶いた絵の具を筆に含ませて、筆を振る、叩くなどして絵の具のしぶきを散らす
にじみ絵	水で濡らした紙を、溶いた絵の具を付けた筆先でつついてにじませる
マーブリング（墨流し）	水の上にマーブリング専用の溶液や墨汁を浮かべて紙に写し取る。大理石のような模様ができる
ウォッシング（洗い出し）	ポスターカラーで描いた絵を墨汁で塗りつぶし、水で洗い流すと先に描いた絵が浮き出る
コラージュ（貼り合わせ絵）	画面に、様々な素材（雑誌等の切り抜き、写真、布、テープ、ビーズ、針金など）を組み合わせ、貼り付けて構成する
スパッタリング（霧吹き絵）	絵の具を細かい網目に塗り、ブラシなどでこすって絵の具を紙などの上に飛ばす
フィンガーペインティング（指絵）	小麦粉を水でどろどろに溶いたものに食用色素などで着色し、手のひらや指で絵や模様を描く
スタンピング（型押し）	身近なものに絵の具を付けて紙に押して形を写し取る
フロッタージュ（こすりだし）	凹凸のあるものに薄い紙をのせ、画材をこすりつけて写し取る
スクラッチ（削りだし）	下地に明るい色を塗り、黒などで重ね塗りしたものをひっかき、色の対比で表す
バチック（はじき絵）	クレヨンやロウで描いた上から水彩絵の具を塗ると絵の具をはじくので、その撥水性を利用する

Point 14 版画の種類

形　式	種　類	特　徴
凸版 他:スタンピング、粘土版画	木版画	木を彫って版にする
	紙版画	切った紙を重ね貼りし、段差を付けて版にする
	スチレン版画	スチレン板に尖ったもので絵を描き、版にする
凹版	ドライポイント	金属板や厚い紙に尖ったもので傷をつけて版にする
	エッチング (銅版画)	薬品で腐食させた金属板を版にする
平版 他:マーブリング、デカルコマニー	リトグラフ (石版画)	水性と油性のはじきあう性質を用いて版にする
	ローラー版画	色をつけたローラーを紙の上で転がし、型などを置いて白く抜く
	モノタイプ	アクリル板、ガラス板などに絵を描き、紙をのせて転写する
孔版	シルクスクリーン	型紙をシルクやナイロンのスクリーンに貼り、インクが通るところ、通らないところをつくって版にし、上から刷り込む
	ステンシル (合羽版)	型紙を切り抜き版にする。切り抜いたところに色を刷り込む

Point 15 粘土の種類

テラコッタ(土)粘土	乾燥によって硬くなり、さらに焼成(約800度・素焼き)することで硬さが増す。乾燥した粘土は再利用できる
油粘土	乾燥しないので硬くなりにくく繰り返し使用できるが、成形した作品の保管には向いていない
紙粘土	乾燥によって硬くなり、絵の具などで着色することが可能。乾燥した後の再利用は難しい
小麦粉粘土	1〜3歳頃の感触を楽しむ造形遊びに適している

Point 16 色の 3 属性（色相・彩度・明度）

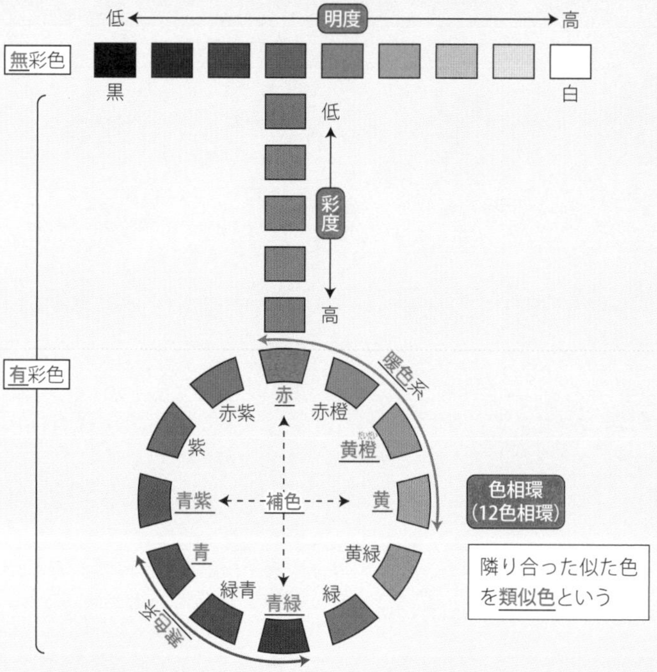

Point 17 色の 3 原色と混色

● 色の3原色（減法混色）●

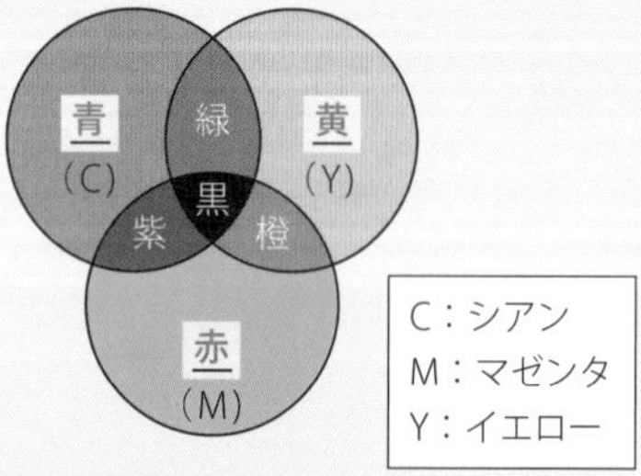

● 光の3原色（加法混色）●

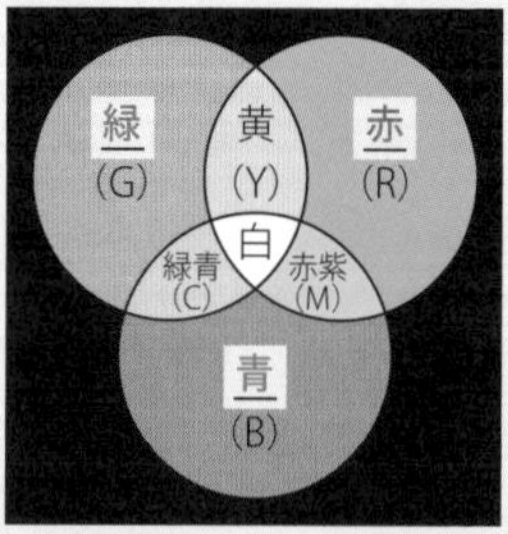

Point 18 芝居や劇遊びの種類

演じ手と観客との関係で成り立つ、芝居や人形劇、幼児が全身で行う、ごっこ遊びや劇遊びは、表現活動の重要な方法である。

種　類	特　徴
紙芝居	紙に絵で表現された物語を、演じ手が紙を抜きながら話を展開する芝居
パネルシアター	布（パネルボード）を舞台として、不織布の人形などを、話の展開に合わせて貼ったり、はがしたりしながら話を展開する人形劇
エプロンシアター	胸当ての付いたエプロンを舞台として、それを着た話し手が、ポケットから人形などを取り出しながら、話を展開する人形劇
ペープサート	絵を描いた紙に棒を付けて、表裏を使い、動かして話を展開する紙人形劇
マリオネット劇	糸を用いた操り人形を使って話を展開する人形劇
マペット劇	マリオネット（操り人形）とパペット（指人形）を組み合わせたもので、中に手や腕を入れて操る人形劇
オペレッタ	保育では、歌と踊りによる劇のこと

Point 19 様々な絵本と絵本作家

エリック・カール	はらぺこあおむし、パパ、お月さまとって！
レオ・レオニ	フレデリック、スイミー
マーシャ・ブラウン	ちいさなヒッポ、三びきのやぎのがらがらどん
松谷みよ子	ちいさいモモちゃん、いないいないばあ
佐野洋子	100万回生きたねこ、おじさんのかさ
加古里子	だるまちゃんとてんぐちゃん、からすのパンやさん
長新太	ごろごろ にゃーん、ぼくのくれよん

Lesson 1 楽譜

でる

問1

次のリズムは、ある曲の歌いはじめの部分である。それは、②たき火である。

①まっかな秋（作詞：薩摩忠　作曲：小林秀雄）
②たき火（作詞：巽聖歌　作曲：渡辺茂）
③めだかの学校（作詞：茶木滋　作曲：中田喜直）

でる

問2

この曲の伴奏部分として、当てはまる組み合わせは、③である。

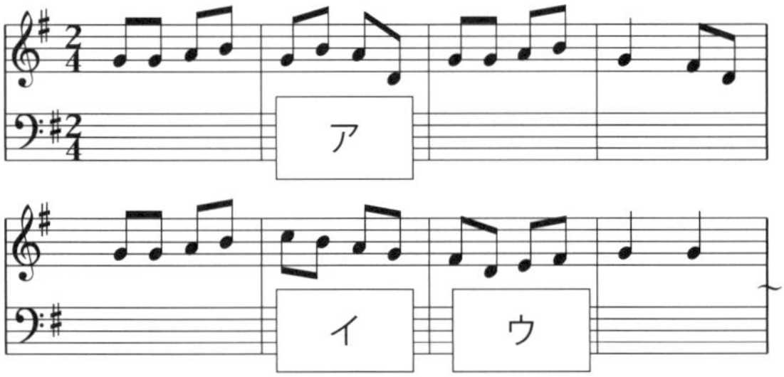

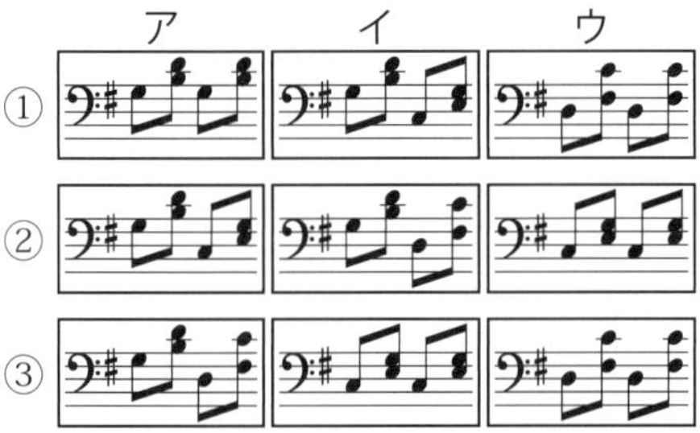

答1 ×

正解は、①まっかな秋である。

②たき火の歌いはじめは、

③めだかの学校の歌いはじめは、

平成30年後期より、リズム譜が出題されている。

答2 ○

アはソ、シ、レ（G）とレ、ファ♯、ド（D_7）、イはド、ミ、ソ（C）、ウはレ、ファ♯、ド（D_7）となり、ト長調の主要三和音である。曲名は、「アルプス一万尺」である。

Lesson 2 音楽用語

でる
問1 D.C.は、「元の速さで」を意味する。

問2 rit.《リタルダンド》と accel.《アッチェレランド》では、「だんだん遅く」を意味するのは、rit.である。

問3 tenuto《テヌート》 と tranquillo《トランクィッロ》 では、「静かに」を意味するのは、tenuto である。

でる
問4 「やさしく」を意味するのは、cantabile《カンタービレ》である。

問5 legato《レガート》 と marcato《マルカート》 では、「音と音のあいだを切れ目なくつなぐ」のは、marcato である。

でる
問6 cresc.《クレッシェンド》とdecresc.《デクレッシェンド》では、「だんだん弱く」を意味するのは、decresc. である。

問7 「速く」を表すのは、andante《アンダンテ》 である。

1回目 /7点　2回目 /7点

答1 ×

「元の速さで」を意味するのは、a tempoである。D.C.は、ダ・カーポといい「はじめに戻る」という意味である。

答2 ○

rit.は、速さの変化を示す記号で「だんだん遅く」という意味である。また、「だんだん速く」を意味するのは、accel.である。

答3 ×

tenutoは、奏法を示す記号で「音の長さを十分に保つ」という意味である。

答4 ×

「やさしく」を意味するのは、dolce《ドルチェ》である。cantabileは、「歌うように」なので、どちらも発想・曲想を示す用語である。

答5 ×

legatoである。「なめらかに」と記される場合もある。marcatoは、音の一つ一つをはっきりと奏する。

答6 ○

強弱の変化を意味する用語である。記号では、cresc.が＜、decresc.が＞と示される。

答7 ×

「速く」を表すのは、allegro《アレグロ》である。andanteは、「ゆっくりと歩く速さで」という意味である。

Lesson 3 コード（和音）

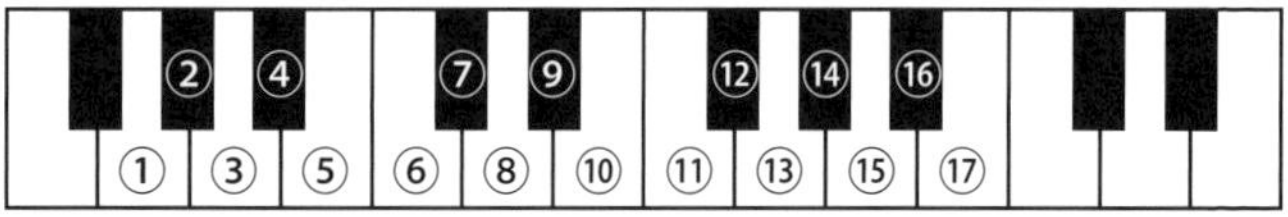

問1 8、12、15の鍵盤の位置は、レ、ファ♯、ラで、短三和音（マイナーコード）である。

でる

問2 次の和音は、短三和音である。

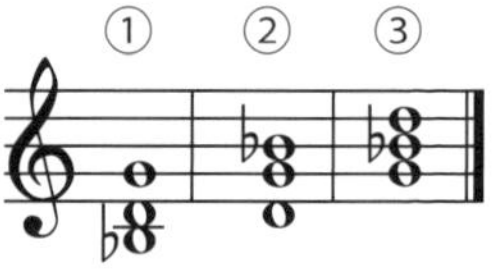

問3 次の和音は、全てドミナントセブンス（属七の和音）である。

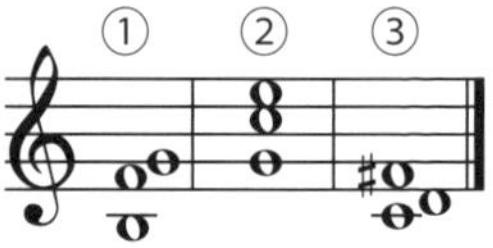

でる

問4 次の和音のうち、マイナーコードは③である。

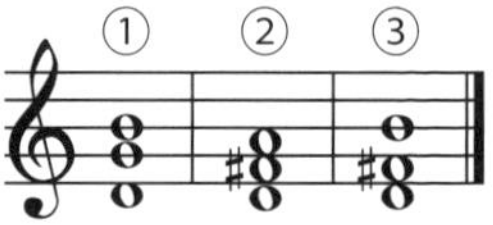

問5 右のコードネームは、C_{aug}である。

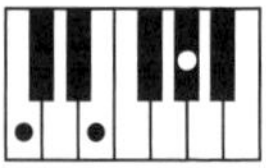

問6 右のコードネームは、$B^{\flat}$である。

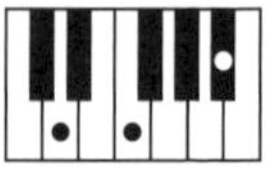

1回目 /6点　2回目 /6点

セブンス構成音のポイント：セブンスの三和音は、根音《こんおん》（アルファベットの音）、3度上、7度上の音で構成される。

答1 ×

長三和音（メジャーコード）である（転回形）。マイナーコードは、根音から短3度上、完全5度上の音で構成される。8、11、15となる。

答2 ○

ソ、シ♭、レ（G_m）を基本とした短三和音である。左から、①は第1転回形、②は第2転回形、③は基本形である。転回形は、4度音程の上の音が根音となる。

答3 ×

②はメジャーコード（C）である。ドミナントセブンスの和音は、7度音程を含む（四和音となる）ため、転回形は、2度音程の上の音が根音となる。

答4 ○

③はB_mである。①はG、②はDのメジャーコードである。

答5 ○

aug（オーギュメント）は、根音から増5度上の音が入る。

答6 ○

転回形になっている。

Lesson 4 移調

問1

この曲は、ファの音にシャープが付くヘ長調である。

でる

問2

問1のコードネームを完全5度下に移調したコードネームは、F、B♭、Cである。

でる

問3

次の曲を長2度上の調に移調した場合、Aの音は鍵盤上では、16の位置となる。

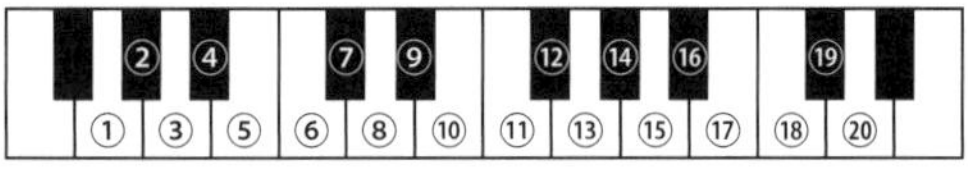

でる

問4

問3の楽譜を完全4度下に移調した場合、Bの音は鍵盤上では、⑬の位置となる。

問5

問3の楽譜を完全4度下に移調した調は、ハ長調である。

答1 ×

ファの音にシャープ（♯）が付くト長調である。

答2 ×

完全5度下の調は、ハ長調となるのでC、F、Gとなる。F、B♭、Cは、ヘ長調のコードで長2度下となる。

答3 ×

左の曲を長2度上の調に移調した場合に、Aの音は鍵盤上では、17の位置となる。16は、短2度上である。

答4 ×

③の位置である。⑬は完全4度上である。

答5 ○

調号（♯、♭）のつかない調である。

Lesson 5

音楽の基礎知識

でる

問1

この曲は、$\frac{4}{4}$拍子である。

問2 問1の楽譜のアイの音程は、長3度である。

問3 問1の楽譜の調性は、ヘ長調である。

でる

問4 ニ長調の調号は、♭が2つである。

問5 三木露風作詞による「赤とんぼ」の作曲者は、滝廉太郎である。

問6 日本のわらべうたや民謡の多くは、7音音階でできている。

1回目 /6 点　2回目 /6 点

答1 ×

$\frac{2}{4}$ 拍子である。

答2 ×

短3度である。

答3 ○

調号♭（フラット）が一つの場合は、シの音に♭が付くヘ長調である。

答4 ×

♯が2つである。♭が2つは、変ロ長調である。

答5 ×

山田耕筰である。滝廉太郎は、「荒城の月」「花」などを作曲した。

答6 ×

日本のわらべうたや民謡の多くは、5音音階でできている。また、作者不詳である。

Lesson 6

造形表現の発達と特徴

でる

問1 カタログ期では、人物表現の様式として、頭や胴を表す円形から、手足を表す複数の線が直接出ている表現がみられる。

でる

問2 描く表現の発達過程の錯画期では、一般的に点→縦線→横線→円の順に、描けるようになる。

でる

問3 つくる表現の発達過程の「もてあそび期」では、初めから目的を持って制作に取り組むことができる。

でる

問4 子どもの絵では、本来見えないはずのおなかの中が表現されることがあるが、このような表現を誇張表現という。

でる

問5 つくる表現の発達過程の意味づけ期では、粘土を丸めたり、細長く伸ばしたりする。

でる

問6 描画表現の発達過程の図式期では、太陽や草花、乗り物などを擬人化して表現することはない。

問7 子どもは、「見たもの」よりも「知っていること」を優先して、絵を描くことがある。

1回目　/7点　2回目　/7点

答1 ○
記述にある人物表現の様式を**頭足人**という。なお、カタログ期は**前図式期**ともいう。

答2 ×
正しくは、点→横線→縦線→円の順に描けるようになる。**横線は肩**のコントロール、**縦線は肘**のコントロールがつくようになると描けるようになる。

答3 ×
つくる表現の発達過程は、もてあそび期→意味づけ期（**象徴期**）→つくりあそび期の順であり、目的を持って取り組むようになるのは、**つくりあそび**期である。

答4 ×
外側から見えない内側を表現する様式は**レントゲン表現**と呼ばれる。誇張表現は、自分にとって価値あるものを実際より大きく表現することである。

答5 ○
意味づけ期（2〜3歳半頃）では、丸めた粘土を団子に**見立て**たり、細長く伸ばした粘土をヘビに見立てたりする。ただし、意味は**後づけ**の場合が多い。

答6 ×
動植物・無生物を擬人化して表現することを**アニミズム**表現といい、図式期（4〜9歳頃）特有の表現である。顔を描いて擬人化することが多い。

答7 ○
子どもは、「見たもの」をそのまま描くのではなく、「知っていること」を交えて描く傾向にある。**ジョルジュ・アンリ・リュケ**によって主張された。

Lesson 7

造形表現の材料と用具

問1 にじみ絵の活動で使用するマーカーは、水性のもののなかでも、染料インクが原料のものを用いる。

問2 白ボール紙は、和紙の一種で版画等に用いられる。

でる

問3 土粘土を焼成するときの一般的な温度は、素焼きが約1,250℃である。

問4 合成繊維製のテープ紐は、短手方向に簡単に裂くことができ、踊りや応援などで用いる「ポンポン」をつくることができる。

問5 クレヨンは、液体油の量が多いのでやわらかく、面描に適した描画材である。

問6 石や木、プラスチックなどに色を塗る場合は、ポスターカラーよりもアクリル絵の具のほうが適している。

問7 はさみは、刃元より刃先のほうが厚紙などを容易に切ることができる。

1回目 /7点　2回目 /7点

答1 ○
マーカーは、油性と水性に大別でき、さらに着色剤に染料と顔料を用いたものに分けられる。にじみ絵に適するのは、水性染料マーカーである。

答2 ×
白ボール紙は、灰色の面と白色の面からなる比較的厚い紙で、強度を必要とする工作などに用いられる。版画には、鳥の子紙（和紙）などが用いられる。

答3 ×
素焼きが700～800℃程度、本焼きが1,250℃程度である。陶器づくりの主な工程は、土練り→成形→乾燥→素焼き→施釉→本焼きである。

答4 ×
合成繊維製のテープ紐で簡単に裂ける繊維方向は、長手である。

答5 ×
クレヨンは線描に適した描画材である。面描に適した描画材にはオイルパステルがあり、一般的にクレヨンよりも液体油の含有量が多く、軟らかい。

答6 ○
アクリル絵の具は、接着力が強いので紙以外にも塗ることができる。また、乾燥後は耐水性となるので、野外作品に向いている。

答7 ×
刃先よりも刃元のほうが、力が伝わるので、厚いものを切る時は、刃元を有効に使う。

Lesson 8

表現技法

でる 問1　スクラッチ技法では、下地に明度の高い色を塗り、その下地を明度の低い色で塗りつぶすとよい。

問2　ステンシルは、版画技法の一種である。

でる 問3　バチックの技法で、ろうそくを使用した。

でる 問4　フロッタージュをするために、コインを用意した。

でる 問5　ドリッピングでは、大理石のような模様をつくることができる。

でる 問6　マーブリングは、凸版技法である。

問7　デカルコマニーは、左右対称の図像を表すことに向いている。

答1
○
スクラッチ技法では、下地と下地を塗りつぶす色との明度差をつけることで鮮明な図像を表現できる。塗りつぶす色は、紺や**黒**が効果的である。

答2
○
ステンシルは、主に紙を**切り**抜いて、インクを通すところ、通さないところをつくって版にする技法のことである。

答3
○
バチックとは、ろうそくやクレヨンで描いた上から**水彩絵の具**を塗り、ろうが絵の具を**はじく**効果を利用した技法である。

答4
○
フロッタージュは、コインなどの**凹凸**のあるものの上に紙を置いて、クレヨンやパステルなどでこすり、模様を**写し取る**技法である。

答5
×
ドリッピングは、**たらし絵**のことで、紙にたらした絵の具をストローで吹く**ブローイング**に発展させることもできる。

答6
×
マーブリングは、「**墨流し**」のことで、墨汁や専用の溶液を**水**の上に浮かべて紙に写し取る技法で、**平版**である。

答7
○
デカルコマニーの一般的な方法では、紙の片面に絵の具を付け、その紙を**二つ折り**にして再度開くことで、図像を表す。

Lesson 9

色彩理論と児童文化

でる 問1 色彩理論における「色料の3原色」とは、緑みの青（シアン）・赤紫（マゼンタ）・黄（イエロー）の3色である。

問2 どんな色にも彩度はある。

でる 問3 赤と青緑は、類似色の関係にある。

問4 掲示物などの可読性を高めるためには、掲示物の地の色（画用紙や台紙の色など）と、文字の色の明度差を大きくつけるとよい。

でる 問5 絵本『もこ もこもこ』（作：谷川俊太郎、絵：元永定正）は、オノマトペによる絵本である。

問6 コラージュ技法を多用したエリック・カールの代表作には、『スイミー』や『フレデリック』などがある。

問7 パネルシアターをするために、不織布を用意した。

1回目 /7点　2回目 /7点

答1 ○

保育では、簡易的に「色（絵の具）の3原色」として、青・赤・黄があげられることが多い。文脈により答えが変わるので、両方おぼえておくとよい。

答2 ×

白・灰・黒には彩度がない。わずかでも彩度を持った色は、有彩色という。また、彩度は、周りの色の彩度によって変化して感じられる。

答3 ×

赤と青緑は、12色相環で対極に位置しており、補色の関係にある。12色相環で赤と類似色の関係にあるのは、隣に位置している赤橙、赤紫である。

答4 ○

可読性とは、字や数字の読みやすさのことで、掲示物の地の色と文字の色の明度差が大きいと読みやすく、小さいと読みにくくなる。

答5 ○

オノマトペとは、擬音語や擬態語の総称のことで、オノマトペを用いた絵本は、言葉がまだあまり理解できない0～2歳の子どもでも楽しめる。

答6 ×

エリック・カールの代表作は、『はらぺこあおむし』や『パパ、お月さまとって！』である。『スイミー』や『フレデリック』は、レオ・レオニ作。

答7 ○

パネルシアターとは、不織布を貼ったボードの上で、Pペーパー（不織布の一種）で作った文字や絵を動かしながら話を展開していく劇である。

Lesson 10

保育所保育

でる

問1 集団的な遊びがみられる3歳以上児の保育は、集団としての活動の充実が図られるようにするので、個の成長を考慮した保育は、3歳未満で終えている必要がある。

でる

問2 幼児期の文字の読み書きに対する保育士の関わりでは、文字に対する一人一人の興味・関心を捉え、子どもの学びたいという思いに応じる。

でる

問3 指導計画に基づく保育の実施に当たり、施設長や保育士など、全職員による適切な役割分担と協力体制を整えることを留意する。

でる

問4 保育士が自己評価によって子どもの育ちを捉える際は、子どものできることやできないことの結果だけではなく、取り組む過程をみる。

問5 保育士と保護者がお互いに信頼し、協力し合える関係を作るためには、保育士が保護者の意向を的確に把握し、保護者の要求をすべて受け入れる必要がある。

問6 保育所における長期的な指導計画とは、子どもの生活や発達を見通した、月と週の計画を指す。

1回目 ／6 点　2回目 ／6 点

答1 ×

3歳以上児の保育は、個の成長と集団としての活動の充実が図られるようにしなければならない。

答2 ○

一人一人の興味・関心を捉え、子どもの学びたい意欲を大切にする関わりは適切である。保育所保育指針1章1(3)オに「子どもが自発的・意欲的に関われるような環境を構成し、子どもの主体的な活動や子ども相互の関わりを大切にすること」とある。

答3 ○

施設長、保育士など、全職員による適切な役割分担と協力体制を整えること（保育所保育指針1章3（3）ア）。

答4 ○

「保育士等による自己評価に当たっては、子どもの活動内容やその結果だけでなく、子どもの心の育ちや意欲、取り組む過程などにも十分配慮するよう留意すること」とある（保育所保育指針1章3（4）ア（イ））。

答5 ×

保護者の要求をすべて受け入れるのは不適切である。保育士は保護者の気持ちを受け止め、相互の信頼関係を基本に、保護者の自己決定を尊重する。

答6 ×

週の計画は、日単位の計画とともに短期的な指導計画である。子どもの生活や発達を見通した長期的な指導計画には、年単位、月単位のものがある。

Lesson 11

保育所保育指針（1）

穴埋め問題

でる

問1 保育所は、子どもが生涯にわたる人間形成にとって極めて重要な時期に、その生活時間の大半を過ごす場である。

指針 1章総則－1保育所保育に関する基本原則（2）－ア

でる

問2 一人一人の子どもの状況や家庭及び地域社会での生活の実態を把握するとともに、子どもが安心感と信頼感をもって活動できるよう、子どもの主体としての思いや願いを受け止めること。

指針 1章総則－1保育所保育に関する基本原則（3）－ア

でる

問3 子ども相互の関係づくりや互いに尊重する心を大切にし、集団における活動を効果あるものにするよう援助すること。

指針 1章総則－1保育所保育に関する基本原則（3）－エ

でる

問4 一人一人の子どもが、健康で安全に過ごせるようにする。

指針 1章総則－2養護に関する基本的事項（2）－ア（ア）②

問5 清潔で安全な環境を整え、適切な援助や応答的な関わりを通して子どもの生理的欲求を満たしていく。

指針 1章総則－2養護に関する基本的事項（2）－ア（イ）③

1回目 ／9 点　2回目 ／9 点

でる 問6

一人一人の子どもが、安定感をもって過ごせるようにする。

指針 1章総則－２養護に関する基本的事項（2）－イ（ア）①

問7

一人一人の子どもの置かれている状態や発達過程などを的確に把握し、子どもの欲求を適切に満たしながら、応答的な触れ合いや言葉がけを行う。

指針 1章総則－２養護に関する基本的事項（2）－イ（イ）①

でる 問8

全体的な計画は、子どもや家庭の状況、地域の実態、保育時間などを考慮し、子どもの育ちに関する長期的見通しをもって適切に作成されなければならない。

指針 1章総則－３保育の計画及び評価（1）－イ

でる 問9

全体的な計画は、保育所保育の全体像を包括的に示すものとし、これに基づく指導計画、保健計画、食育計画等を通じて、各保育所が創意工夫して保育できるよう、作成されなければならない。

指針 1章総則－３保育の計画及び評価（1）－ウ

Lesson 12

保育所保育指針（2）

穴埋め問題

でる

問1

保育所は、全体的な計画に基づき、具体的な保育が適切に展開されるよう、子どもの生活や発達を見通した長期的な指導計画と、それに関連しながら、より具体的な子どもの日々の生活に即した短期的な指導計画を作成しなければならない。

指針　1章総則－３保育の計画及び評価（2）－ア

でる

問2

３歳未満児については、一人一人の子どもの生育歴、心身の発達、活動の実態等に即して、個別的な計画を作成すること。

指針　1章総則－３保育の計画及び評価（2）－イ（ア）

でる

問3

３歳以上児については、個の成長と、子ども相互の関係や協同的な活動が促されるよう配慮すること。

指針　1章総則－３保育の計画及び評価（2）－イ（イ）

問4

異年齢で構成される組やグループでの保育においては、一人一人の子どもの生活や経験、発達過程などを把握し、適切な援助や環境構成ができるよう配慮すること。

指針　1章総則－３保育の計画及び評価（2）－イ（ウ）

でる

問5

長時間にわたる保育については、子どもの発達過程、生活のリズム及び心身の状態に十分配慮して、保育の内容や方法、職員の協力体制、家庭との連携などを指導計画に位置付けること。

指針　1章総則－３保育の計画及び評価（2）－カ

でる

問6

施設長、保育士など、全職員による適切な役割分担と協力体制を整えること。

指針 1章総則－3保育の計画及び評価（3）－ア

でる

問7

子どもが行う具体的な活動は、生活の中で様々に変化することに留意して、子どもが望ましい方向に向かって自ら活動を展開できるよう必要な援助を行うこと。

指針 1章総則－3保育の計画及び評価（3）－イ

でる

問8

子どもの主体的な活動を促すためには、保育士等が多様な関わりをもつことが重要であることを踏まえ、子どもの情緒の安定や発達に必要な豊かな体験が得られるよう援助すること。

指針 1章総則－3保育の計画及び評価（3）－ウ

問9

保育士等は、子どもの実態や子どもを取り巻く状況の変化などに即して保育の過程を記録するとともに、これらを踏まえ、指導計画に基づく保育の内容の見直しを行い、改善を図ること。

指針 1章総則－3保育の計画及び評価（3）－エ

Lesson 13

保育所保育指針（3）

穴埋め問題

でる 問1

保育士等は、保育の計画や保育の記録を通して、自らの保育実践を振り返り、自己評価することを通して、その専門性の向上や保育実践の改善に努めなければならない。

指針 1章総則－3保育の計画及び評価（4）－ア（ア）

問2

保育士等による自己評価に当たっては、子どもの活動内容やその結果だけでなく、子どもの心の育ちや意欲、取り組む過程などにも十分配慮するよう留意すること。

指針 1章総則－3保育の計画及び評価（4）－ア（イ）

でる 問3

保育士等や友達と心を通わせる中で、絵本や物語などに親しみながら、豊かな言葉や表現を身に付け、経験したことや考えたことなどを言葉で伝えたり、相手の話を注意して聞いたりし、言葉による伝え合いを楽しむようになる。

指針 1章総則－4幼児教育を行う施設として共有すべき事項（2）－ケ

でる 問4

玩具などは、音質、形、色、大きさなど子どもの発達状態に応じて適切なものを選び、その時々の子どもの興味や関心を踏まえるなど、遊びを通して感覚の発達が促されるものとなるように工夫すること。（以下略）

指針 2章保育の内容－1乳児保育に関わるねらい及び内容（2）－ウ（ウ）①

でる 問5

一人一人の子どもの生育歴の違いに留意しつつ、欲求を適切に満たし、特定の保育士が応答的に関わるように努めること。

指針 2章保育の内容－1乳児保育に関わるねらい及び内容（3）－イ

問6 担当の保育士が替わる場合には、子どものそれまでの生育歴や発達過程に留意し、職員間で協力して対応すること。

指針 2章保育の内容－１乳児保育に関わるねらい及び内容（3）－オ

でる **問7** 発声も明瞭になり、語彙も増加し、自分の意思や欲求を言葉で表現できるようになる。

指針 2章保育の内容－2 1歳以上3歳未満児の保育に関わるねらい及び内容（1）－ア

問8 仲間と遊び、仲間の中の一人という自覚が生じ、集団的な遊びや協同的な活動も見られるようになる。これらの発達の特徴を踏まえて、この時期の保育においては、個の成長と集団としての活動の充実が図られるようにしなければならない。

指針 2章保育の内容－３ 3歳以上児の保育に関するねらい及び内容（1）－ア

でる **問9** 数量や文字などに関しては、日常生活の中で子ども自身の必要感に基づく体験を大切にし、数量や文字などに関する興味や関心、感覚が養われるようにすること。

指針 2章保育の内容－3 3歳以上児の保育に関するねらい及び内容（2）－ウ（ウ）⑤

Lesson 14

保育所保育指針（4）

穴埋め問題

問1 親しみをもって日常の挨拶をする。

指針 2章保育の内容－３ 3歳以上児の保育に関するねらい及び内容（2）－エ（イ）⑥

問2 絵本や物語などに親しみ、興味をもって聞き、想像をする楽しさを味わう。

指針 2章保育の内容－３ 3歳以上児の保育に関するねらい及び内容（2）－エ（イ）⑨

でる **問3** 言葉は、身近な人に親しみをもって接し、自分の感情や意志などを伝え、それに相手が応答し、その言葉を聞くことを通して次第に獲得されていく…（略）…。

指針 2章保育の内容－３ 3歳以上児の保育に関するねらい及び内容（2）－エ（ウ）①

でる **問4** 子どもが日常生活の中で、文字などを使いながら思ったことや考えたことを伝える喜びや楽しさを味わい、文字に対する興味や関心をもつようにすること。

指針 2章保育の内容－３ 3歳以上児の保育に関するねらい及び内容（2）－エ（ウ）⑤

でる 問5

自分のイメージを動きや言葉などで表現したり、演じて遊んだりするなどの楽しさを味わう。

指針 2章保育の内容－3 3歳以上児の保育に関するねらい及び内容（2）－オ（イ）⑧

でる 問6

子どもの心身の発達及び活動の実態などの個人差を踏まえるとともに、一人一人の子どもの気持ちを受け止め、援助すること。

指針 2章保育の内容－4 保育の実施に関して留意すべき事項（1）－ア

問7

子どもの国籍や文化の違いを認め、互いに尊重する心を育てるようにすること。

指針 2章保育の内容－4 保育の実施に関して留意すべき事項（1）－オ

でる 問8

火災や地震などの災害の発生に備え、緊急時の対応の具体的内容及び手順、職員の役割分担、避難訓練計画等に関するマニュアルを作成すること。

指針 3章健康及び安全－4災害への備え（2）－ア

Lesson 15

保育所保育指針（5）

穴埋め問題

でる

問1

保護者に対する子育て支援を行う際には、各地域や家庭の実態等を踏まえるとともに、保護者の気持ちを受け止め、相互の信頼関係を基本に、保護者の自己決定を尊重すること。

指針 4章子育て支援－1保育所における子育て支援に関する基本的事項（1）－ア

問2

保育及び子育てに関する知識や技術など、保育士等の専門性や、子どもが常に存在する環境など、保育所の特性を生かし、保護者が子どもの成長に気付き子育ての喜びを感じられるように努めること。

指針 4章子育て支援－1保育所における子育て支援に関する基本的事項（1）－イ

でる

問3

子どもの利益に反しない限りにおいて、保護者や子どものプライバシーを保護し、知り得た事柄の秘密を保持すること。

指針 4章子育て支援－1保育所における子育て支援に関する基本的事項（2）－イ

でる

問4

保護者に育児不安等が見られる場合には、保護者の希望に応じて個別の支援を行うよう努めること。

指針 4章子育て支援－2保育所を利用している保護者に対する子育て支援（3）－ア

1回目 /8点　2回目 /8点

でる **問5** 保護者に不適切な養育等が疑われる場合には、市町村や関係機関と連携し、要保護児童対策地域協議会で検討するなど適切な対応を図ること。また、虐待が疑われる場合には、速やかに市町村又は児童相談所に通告し、適切な対応を図ること。

指針 4章子育て支援－2保育所を利用している保護者に対する子育て支援（3）－イ

問6 各職員は、自己評価に基づく課題等を踏まえ、保育所内外の研修等を通じて、保育士・看護師・調理員・栄養士等、それぞれの職務内容に応じた専門性を高めるため、必要な知識及び技術の修得、維持及び向上に努めなければならない。

指針 5章職員の資質向上－1職員の資質向上に関する基本的事項（1）

でる **問7** 保育所全体としての保育の質の向上を図っていくためには、日常的に職員同士が主体的に学び合う姿勢と環境が重要であり、職場内での研修の充実が図られなければならない。

指針 5章職員の資質向上－3職員の研修等（1）

でる **問8** 施設長等は保育所全体としての保育実践の質及び専門性の向上のために、研修の受講は特定の職員に偏ることなく行われるよう、配慮する必要がある。

指針 5章職員の資質向上－4研修の実施体制等（3）

Lesson 16 関係法令等

穴埋め問題

問1 乳児院は、乳児（保健上、安定した生活環境の確保その他の理由により特に必要のある場合には、幼児を含む。）を入院させて、これを養育し、あわせて退院した者について相談その他の援助を行うことを目的とする施設とする。

法律　**児童福祉法　37条**

問2 母子生活支援施設における生活支援は、母子を共に入所させる施設の特性を生かしつつ、親子関係の再構築等及び退所後の生活の安定が図られるよう、個々の母子の家庭生活及び稼働の状況に応じ、就労、家庭生活及び児童の養育に関する相談、助言及び指導並びに関係機関との連絡調整を行う等の支援により、その自立の促進を目的とし、かつ、その私生活を尊重して行わなければならない。

基準　**29条**

でる

問3 児童養護施設には、児童指導員、嘱託医、保育士、個別対応職員、家庭支援専門相談員、栄養士及び調理員並びに乳児が入所している施設にあつては看護師を置かなければならない。ただし、児童四十人以下を入所させる施設にあつては栄養士を、調理業務の全部を委託する施設にあつては調理員を置かないことができる。

基準　**42条1項**

基準＝児童福祉施設の設備及び運営に関する基準

でる
問4

児童心理治療施設には、医師、心理療法担当職員、児童指導員、保育士、看護師、個別対応職員、家庭支援専門相談員、栄養士及び調理員を置かなければならない。ただし、調理業務の全部を委託する施設にあつては、調理員を置かないことができる。

基準　73条1項

問5

児童生活支援員は、次の各号のいずれかに該当する者でなければならない。

一　保育士の資格を有する者

二　社会福祉士の資格を有する者

三　三年以上児童自立支援事業に従事した者

基準　83条

問6

児童自立支援施設における生活指導及び職業指導は、すべて児童がその適性及び能力に応じて、自立した社会人として健全な社会生活を営んでいくことができるよう支援することを目的として行わなければならない。

基準　84条1項

覚えたかな？ ここでCheck！

まずはそのまま、次は赤シートで隠して、色字のキーワードを確認しよう。

□ **1** dim.、decresc.の意味は、「だんだん弱く」である。

□ **2** 「ド、ミ♭、ソ」「ミ♭、ソ、ド」「ソ、ド、ミ♭」は、マイナーコード（C_m）である。

□ **3** ヘ長調の調号は、♭が一つである。

□ **4** つくる表現の発達過程は、もてあそび期、意味づけ期（象徴期）、つくりあそび期の順である。

□ **5** 水彩絵の具の中で、乾くと耐水性になる種類は、アクリル絵の具である。

□ **6** オノマトペは、擬音語や擬態語の総称で、オノマトペを用いた絵本は、言葉が理解できない0～2歳児でも楽しめる。

□ **7** 色紙などを貼り合わせて構成するコラージュという技法は、『はらぺこあおむし』『フレデリック』などの絵本にも用いられた。

■監修：近喰　晴子

和田実学園学事顧問、東京教育専門学校副校長、
目白幼稚園長。前秋草学園短期大学学長。
日名子太郎に師事し、保育学に関する研究を重ねる。
保育内容、保育者論、実習関係等のテキストを執筆。

■執筆者（担当科目）

保育の心理学
長島　万里子
洗足こども短期大学准教授

保育原理
長谷川　孝子
清泉女学院短期大学教授

子ども家庭福祉
君島　昌志
東北福祉大学准教授

社会福祉
千葉　伸彦
東北福祉大学准教授

教育原理
河崎　佳子
東京未来大学福祉保育専門学校非常勤講師

社会的養護
岡田　恵
松山東雲短期大学准教授

子どもの保健
コンデックス情報研究所

子どもの食と栄養
筒浦　さとみ
新潟大学准教授

保育実習理論（音楽表現）
谷上　公子
洗足こども短期大学非常勤講師

保育実習理論（造形表現）
中尾　泰斗
鳥取大学准教授

保育実習理論（保育所保育指針等）
岡本　かおり
洗足こども短期大学准教授

本書の正誤情報等は、下記のアドレスでご確認ください。
http://www.s-henshu.info/hoii2407/

上記掲載以外の箇所で正誤についてお気づきの場合は、**書名・発行日・質問事項**（**該当ページ・行数・問題番号**などと**誤りだと思う理由**）・**氏名・連絡先**を明記のうえ、お問い合わせください。

・web からのお問い合わせ：上記アドレス内【正誤情報】へ
・郵便または FAX でのお問い合わせ：下記住所または FAX 番号へ
※電話でのお問い合わせはお受けできません。

［宛先］コンデックス情報研究所『保育士一問一答問題集 '25 年版』係
住　所：〒359-0042　所沢市並木3-1-9
FAX番号：04-2995-4362（10:00～17:00　土日祝日を除く）

※本書の正誤以外に関するご質問にはお答えいたしかねます。また、受験指導などは行っておりません。
※ご質問の受付期限は、2025年の各筆記試験日の10日前必着といたします。
※回答日時の指定はできません。また、ご質問の内容によっては回答まで 10 日前後お時間をいただく場合があります。
あらかじめご了承ください。

編著：コンデックス情報研究所
1990年6月設立。法律・福祉・技術・教育分野において、書籍の企画・執筆・編集、大学および通信教育機関との共同教材開発を行っている研究者・実務家・編集者のグループ。

本文イラスト：服部ゆみ

保育士一問一答問題集 '25年版

2024年 9 月30日発行

監　修　近《こん》喰《じき》晴《はる》子《こ》
編　著　コンデックス情《じょう》報《ほう》研《けん》究《きゅう》所《しょ》
発行者　深見公子
発行所　成美堂出版
〒162-8445 東京都新宿区新小川町1-7
電話(03)5206-8151 FAX(03)5206-8159
印　刷　株式会社フクイン

ISBN978-4-415-23885-2

JASRAC(出)2406121-401